à Maman
pour sa fête le 17 mars
2000.

de la part
de tes deux plus beaux bébés

Michelyne & Louis

Bonne Lecture ...

Guy Provost
Rêver les yeux ouverts

De la même auteure

Odette Vincent a collaboré à l'*Histoire de l'Outaouais,* sous la direction de Chad Gaffield, Québec, Institut québécois de recherche sur la culture, 1994.

Elle a dirigé l'*Histoire de l'Abitibi-Témiscamingue,* Québec, Institut québécois de recherche sur la culture, 1995.

Asticou | témoignage

Odette Vincent
Guy Provost
Rêver les yeux ouverts

Données de catalogage avant publication (Canada)

Vincent Domey, Odette, 1948-
 Guy Provost : rêver les yeux ouverts

(Asticou/témoignage)

ISBN 2-89537-004-4

I. Provost, Guy. II. Acteurs - Québec (Province) - Biographies.
I. Titre. II. Collection.

PN2308.P76V56 1999   792'.028'092   C99-941295-7

Les Éditions Vents d'Ouest remercient la Ville de Hull de son appui.

Nous remercions le Conseil des Arts du Canada de l'aide accordée à notre programme de publication. Nous reconnaissons l'aide financière du gouvernement du Canada par l'entremise du Programme d'Aide au Développement de l'Industrie de l'Édition (PADIÉ) pour nos activités d'édition. Nous remercions également la Société de développement des industries culturelles.

Dépôt légal —   Bibliothèque nationale du Québec, 1999
                 Bibliothèque nationale du Canada, 1999

Révision : Micheline Dandurand

Correction d'épreuves : Renée Labat

Numérisation des photographies : Pierre Bertrand

Éditions Vents d'Ouest inc.
185, rue Eddy
Hull (Québec)
J8X 2X2
Téléphone : (819) 770-6377
Télécopieur : (819) 770-0559

Diffusion au Canada : PROLOGUE INC.
Téléphone : (450) 434-0306
Télécopieur : (450) 434-2627

Diffusion en France : DEQ
Téléphone : 01 43 54 49 02
Télécopieur : 01 43 54 39 15

À mon fils Pierre, en souvenir de sa maman, Denise,
et de sa sœur, Sylvie, avec une pensée particulière
pour Andrée et Jean-François.

Il n'y a qu'au théâtre où on réussit à rêver les yeux ouverts.
Ernest HEMINGWAY

Avant-propos

*E*N *1996, lors de la célébration de ses cinquante ans de carrière artistique, il fut suggéré à M. Provost de s'attaquer à la rédaction de ses souvenirs de théâtre. Peu enclin aux confessions, le comédien accompli, raconteur à ses heures, voyait devant lui un micro plutôt qu'une page blanche. Et de sa voix légendaire, il se mit à « acter » sa vie et son parcours professionnel, éclairant par le fait même tout un pan de l'histoire du théâtre, de la radio et de la télévision au Québec. Ce livre a donc été écrit à partir d'entretiens chaleureux, ponctués de grands éclats de rire, de silences fragiles et de nombreux moments de réserve et de résistance face au projet d'écriture.*

Comme la plupart des Québécois, j'ai d'abord rencontré Guy Provost à son insu, dans La Famille Plouffe *ou* Les Belles Histoires des pays d'en haut, *avant de le découvrir sur scène, au téléthéâtre et au théâtre. Pour ne pas masquer le conteur-né qu'il continue d'être, j'ai choisi de respecter son rythme, d'utiliser ses mots, me prêtant de la sorte au grand jeu du «* Je est un autre *». Et devant l'énigme de cet autre, j'ai décidé de rester en coulisses. On est toujours plusieurs lorsque l'on raconte sa vie, surtout si on est comédien... Je tiens à le remercier de* *s'être prêté au jeu des entretiens avec simplicité et confiance, et j'espère ne pas avoir trahi sa vérité.*

J'adresse également ma plus vive reconnaissance aux collaborateurs précieux sans qui cet ouvrage n'aurait pu franchir les étapes nécessaires à sa réalisation. À Richard Poulin et au personnel de la maison d'édition Vents d'Ouest; aux patients lecteurs et lectrices de la première heure : André Lepage, Paule La Roche, Louise Allaire, Monique Gagnon-Campeau; à la réviseure Micheline Dandurand et, surtout, à Colette Michaud, dont les nombreuses suggestions ont sensiblement contribué à améliorer le manuscrit initial. Un merci tout spécial à Andrée Provost, à Marcel Dubé, à Jacques Domey et à Georgette Normand pour leur indispensable collaboration.

Odette Vincent

En guise d'introduction

Les coulisses…

J E SORS dans le noir. Nous sommes à Vienne, où nous présentons *Lorenzaccio* de Musset. Je dois sortir du côté cour, faire le tour du plateau et aller de l'autre côté. Là, en principe, j'ai une réplique à donner du haut d'une fenêtre de décor ouverte qui surplombe le plateau. Je sors donc comme d'habitude, dans le noir total, mais je reste coincé dans un amoncellement de rideaux. J'essaie de me dépêtrer. C'est comme une espèce de cauchemar, un mauvais rêve… En me débattant, je réussis à me dégager des maudits rideaux. Je tâtonne dans les coulisses. Je ne connais pas le théâtre. En arrivant à Vienne, nous n'avions pas eu le temps de nous familiariser avec les coulisses.

Je tâtonne toujours. Je vois une porte, que j'ouvre. Je me retrouve dans un petit couloir, complètement perdu. J'entends ce qui se passe sur scène et je sens le moment de ma réplique approcher. La panique commence à me gagner. J'aperçois une autre porte. À tout hasard, je l'ouvre… et arrive dans une petite antichambre. Je n'ai pas fait un pas que deux colosses me saisissent! Je me rends bien compte que je suis dans une loge; j'avais fait le tour du plateau et étais arrivé à l'avant-scène. Je suis là, tout heureux que les gardes du corps ne me prennent pas pour un bandit venu assassiner le maire, car je me trouve dans la loge du bourgmestre de Vienne! Tout à coup, le moment de ma réplique arrive. Je la lance de là. Gérard Philipe, qui est sur scène, entend, tout étonné, le texte venir de la salle. Les occupants de la loge, abasourdis, se rendent bien compte que je suis un comédien!

Chapitre premier

Scènes de la vie familiale

Montrer les coulisses de la première
personne, quel que soit le théâtre sur lequel
elle se donne en spectacle...
Philippe LEJEUNE, *Je est un autre*

Tomber dedans quand on est petit

MES PARENTS se sont connus au théâtre. Ils auraient très bien pu me fabriquer en coulisses! Toute la famille faisait du théâtre, à l'exception de ma grand-mère qui détestait ça. Elle en avait horreur et ne pouvait pas comprendre que des gens intelligents et sérieux puissent s'exhiber sur scène. Une fois, mon grand-père Provost, qui interprétait le rôle d'un Indien, n'était vêtu que d'un modeste pagne. Ma grand-mère, offusquée, a quitté le théâtre sur-le-champ. Elle avait honte, n'osait plus sortir et ne voulait plus rencontrer personne.

Ma mère, Marie-Jeanne Lamarche, et mes tantes faisaient aussi du théâtre. Elles faisaient partie d'un des nombreux cercles d'art dramatique de la ville de Hull, les groupes Sanche, Beaulne, Provost,

Saint-Jean et autres. Elles étaient plutôt avant-gardistes car, à cette époque malheureuse, les actrices étaient considérées comme des femmes de mauvaise vie. Elles risquaient presque leur réputation en montant sur les planches ! Cela m'a toujours frappé de voir le dynamisme de la vie théâtrale à Hull. J'ai mis ça sur le compte de l'environnement anglo-saxon, ce pays étranger de l'autre côté du pont. Les gens avaient trouvé cette façon de s'exprimer, de se regrouper.

Les curés, toujours habiles, avaient récupéré le théâtre après l'avoir honni et condamné. Ils avaient compris qu'il y en aurait de toute façon. Chez nous, les cercles d'art dramatique se produisaient à la paroisse Notre-Dame-de-Grâces, à la fameuse salle Notre-Dame, avec la bénédiction des Oblats. C'est là que, tout petit bonhomme, j'ai moi-même débuté. Comme ça se passait à la salle paroissiale, ça pouvait aller ; les acteurs avaient un arrangement avec le diable… ou avec le ciel ! Les mélodrames présentés en matinée aux étudiants par le Cercle Saint-Jean étaient assez mouvementés. Les spectateurs intervenaient bruyamment si le traître se montrait le bout du nez. La fameuse communion dont parle Jacques Copeau, où la salle est prise et participe, trouvait là tout son sens. Moi-même, j'étais le spectateur rêvé ! Enfant, j'avais été très impressionné par l'assassinat du duc de Guise, dont le rôle était joué par mon grand-père. C'était terrible de voir autant de gars s'acharner sur un seul homme. Et cet homme était mon « pépère » ! Quand mon père et mon grand-père s'engueulaient sur scène, devant tout le monde, j'étais mal à l'aise. Que dire quand mon père jouait des scènes d'amour avec des étrangères ! Passe encore si c'était avec ma mère ou une tante, mais avec une étrangère… Je vivais ces émotions sans comprendre la magie, le jeu, le mensonge de cet art.

J'ai été élevé dans une espèce d'ambiance imaginaire. Une ambiance tout à fait particulière. Mon père, René Provost, avait une imprimerie adjacente à notre maison, au coin des rues Kent et Saint-Laurent. D'un côté, l'imprimerie nous faisait vivre et de l'autre, c'était la « succursale » du théâtre. Ma mère cousait des costumes s'il le fallait. J'ai vu mon père vider littéralement le salon pour garnir la scène quand il avait besoin de meubles et que les modestes moyens de sa petite troupe d'amateurs ne lui permettaient pas d'en louer. Ma mère fulminait quand elle rentrait chez nous et que le salon était vide. Mon père disait : « Tu vas les ravoir demain ou après-demain. C'est juste pour deux jours. » Souvent, les meubles revenaient dans un drôle d'état.

À table, pour tenir les enfants tranquilles, ma mère racontait les films qu'elle allait voir et nous jouait tous les rôles. Mes parents fréquentaient le cinéma une à deux fois par semaine. Comme j'étais particulièrement turbulent, elle avait trouvé ce moyen pour me garder à table et m'obliger à manger. Elle se levait, gesticulait et menaçait de ne plus raconter de film si je ne finissais pas mon assiette. C'était assez rare d'avoir dans sa famille deux parents aussi amoureux de tout ce qui s'appelait théâtre, cinéma, spectacle. Ça m'a carrément propulsé dans cette carrière. Par après, lorsque je suis devenu membre du Cercle Pie XI, au collège Notre-Dame, et que je rentrais tard après des répétitions prolongées, ma mère et mon père comprenaient et ne s'inquiétaient pas. Tous deux connaissaient bien le milieu et ses exigences. Aucune remontrance de leur part.

Même nos loisirs étaient imprégnés du jeu de théâtre. Comme plusieurs enfants, nous montions des séances dans le garage que mon père avait dégagé pour nous permettre de jouer. Si ma mère avait besoin d'épingles à linge, nous en demandions une ou deux comme prix d'entrée. Si elle avait besoin de clous, nous demandions des clous. Je dirigeais ce théâtre improvisé et mon frère, Jean, m'assistait. Quant à ma sœur, Gisèle, toujours brimée par ses frères aînés, nous la collions à la porte d'entrée pour réclamer les clous ou les épingles à linge ! Lorsque j'ai reçu en cadeau une lanterne magique, nous nous sommes carrément organisé un cinéma dans le garage. Nous savions comment fonctionnaient les vrais cinémas parce que nous les fréquentions. Au Québec, l'entrée était interdite aux enfants, mais en Ontario, c'était permis. Alors, à partir de neuf ou dix ans, accompagnés de ma cousine Marcelle, nous traversions le pont pour aller au cinéma à Ottawa. Le samedi après-midi, on y projetait des films de cow-boys en français. De retour à la maison, nous nous créions notre propre cinéma avec la lanterne magique. Nous avions percé deux trous dans le mur mitoyen du garage et nous actionnions la machine… c'était extraordinaire, le théâtre devenu cinéma. Tous les enfants du quartier y assistaient.

🎭

La musique était omniprésente chez nous. Mon père était un excellent pianiste. Il était doué d'une oreille prodigieuse et pouvait accompagner n'importe qui, dans n'importe quoi. Il créait les arrangements lui-même. Il a fait de la musique toute sa vie, a tenu l'orgue et dirigé une chorale. Il accompagnait souvent le folkloriste Charles Marchand qui le réclamait quand il venait en tournée dans l'Outaouais. Ma mère, musicienne aussi, avait étudié avec Oscar O'Brien, du célèbre quatuor Alouette. Mes parents connaissaient plusieurs chansons de folklore peu populaires à l'époque. C'est ainsi que, des années plus tard, à la terrasse du café des Artistes, j'ai chanté à Gilles Vigneault la chanson *I went to the market*, qui me venait de mes parents. Il en a fait un succès.

J'ai donc été élevé dans des répétitions soit de théâtre, soit d'opérette. Mes parents n'avaient pas la formation pour se risquer dans l'opéra! La maison était toujours pleine d'acteurs et d'actrices qui venaient répéter chez nous. Nous étions trois enfants, j'étais l'aîné. Nous partions nous coucher et discrètement nous nous relevions pour écouter. Parfois, nous nous risquions même à descendre dans l'escalier pour voir ces gens qui s'agitaient. Dans les salles de la ville, il y avait toujours du théâtre. C'était l'époque d'un théâtre quasi permanent, en ce sens qu'il y avait trois ou quatre cercles d'art dramatique qui jouaient chacun une semaine, à tour de rôle. Pendant que l'un était sur scène, les trois autres avaient le temps de répéter un nouveau spectacle, et cela assurait un roulement de représentations. Les pièces étaient vite montées et avec tellement peu de moyens! Tout ça n'empêchait pas qu'il y avait des spectacles élaborés, des trucs insensés comme *Le Bossu* de Paul Féval, *Félix Poutré* et *Papineau,* deux pièces à grand succès de Louis Fréchette, dans lesquelles mon grand-père tenait les rôles-titres.

Quand mon père avait besoin d'un petit bonhomme ou même d'une petite fille, il m'amenait avec lui. Il m'habillait en fille et le tour était joué. Je me souviens de m'être endormi sur scène à l'âge de cinq ou six ans. Ma grand-mère avait été horrifiée : « C'est épouvantable de traîner un enfant de cet âge-là sur les scènes. » Elle n'avait plus adressé la parole à mon père durant le mois suivant. La première fois que j'ai dit quelques répliques, je devais avoir dix ou douze ans. J'aimais bien, mais j'étais extrêmement timide. J'éprouvais un malaise terrible, un trac fou à surmonter. J'étais gêné de voir les adultes jouer, « faire comme si ». Ça ne me paraissait pas sérieux, un peu bizarre même! Les plus beaux acteurs sont les enfants : ils jouent tout le temps. Ils se prennent tout à fait au jeu. Une fois adulte, l'acteur essaie de retrouver cet esprit de l'enfance, cette espèce de pureté qui fait que l'on y croit. Il n'y arrive pas toujours, hélas! Il faut y croire. En tout cas, il faut avoir l'air d'y croire si on veut que le public y croie.

S'instruire par les lectures

Mon père était fou de théâtre. Il en mangeait. C'était un autodidacte, un amateur éclairé par ses lectures. Les gens curieux comme lui s'informaient par les bouquins qu'ils pouvaient se procurer et qui provenaient souvent de France. Ici, en plus du fait qu'il ne se publiait pas grand-chose, les curés ne laissaient pas tout passer! Pour le choix du répertoire, les directeurs de troupes suivaient, avec quelques années de retard, le développement du théâtre en France : des mélodrames, des pièces historiques à costumes et à grand déploiement. Mon grand-père était abonné à *La Petite Illustration théâtrale* qui faisait partie de l'*Illustration théâtrale*. Ces revues qui avaient une vogue extraordinaire, autant que le *Paris Match* aujourd'hui, publiaient des feuilletons.

L'*Illustration théâtrale* était une revue hebdomadaire grand format, un genre de journal d'actualités dramatiques. Tous les mois, *La Petite Illustration* publiait une pièce à la mode à Paris. On s'y abonnait par les librairies de Montréal ou de la région. J'ai d'ailleurs hérité d'une formidable collection de ces revues que j'ai déposée aux Archives nationales du Québec à Hull. On y retrouvait tous les grands succès du temps : *Le Bossu* de Paul Féval, *La Petite Marchande d'allumettes, L'Assassinat du duc de Guise, Les Deux Orphelines…* Les directeurs de troupes consultaient aussi la bibliothèque des Oblats. On n'y trouvait pas tout, mais c'était également une source d'inspiration. Il y avait bien peu de dramaturgie québécoise hormis quelques drames historiques et *La Revanche de Frésimus*, d'Horace Kearney, qui avait obtenu un succès phénoménal et dans laquelle le rôle principal était tenu par un Hullois, Wilfrid Dussault, un grand comique, genre de Fridolin local qui aurait très bien pu faire une carrière professionnelle.

Mon père était aussi abonné aux *Œuvres libres*, un périodique axé sur des ouvrages un peu libertaires et sortant des sentiers battus. Dans chaque livraison, il y avait une pièce de théâtre contemporaine. Il s'est beaucoup alimenté là-dedans. Moi aussi d'ailleurs. C'étaient mes lectures préférées. La bibliothèque de mon père était située dans le grenier. Elle contenait, en plus d'œuvres théâtrales, des biographies de gens de théâtre et de comédiens de l'époque. J'étais toujours rendu là. Le fameux grenier est vite devenu le lieu privilégié de mes premiers ébats d'art dramatique et d'essais de mise en scène. Voyant que j'adorais le théâtre, le frère Martel, directeur du Cercle Pie XI de Hull, m'a confié à quelques reprises la mise en scène et le montage de pièces de fin d'année au collège Notre-Dame. Le Cercle avait même organisé un concours intercollégial. Il s'agissait d'écrire une petite pièce en un acte, et je me souviens d'avoir gagné avec une piécette intitulée « Tôt ou tard ». Le jury avait été, semble-t-il, impressionné par la forme. J'en avais tellement lu des pièces de théâtre que la scène, les personnages, les indications des entrées et des sorties n'avaient plus de secret pour moi.

Faire partie d'une famille d'autodidactes était assez formidable. Mon grand-père, Joseph Provost, qui avait été instituteur, a été mon initiateur. Il m'a révélé Hugo, m'a fait lire *Les Misérables* très jeune, avant mes dix ans. Je m'en étais accusé en confession parce que c'était à l'Index, le fameux Index du père Bethléem. Mon grand-père m'avait alors dit : « Écoute, termine le bouquin, j'ai arrangé ça avec ton confesseur ! » J'en doute encore aujourd'hui, mais je sais que, même s'il avait des tendances anticléricales, il avait aussi ses amitiés parmi les Oblats. Le père Laferté venait régulièrement chez mes grands-parents discuter de philosophie. Mon grand-père essayait beaucoup de croire en Dieu, mais n'y arrivait pas. Il aurait au moins voulu comprendre. Il posait beaucoup de questions auxquelles le père Laferté tentait de répondre ; mais aussitôt que ça touchait la foi, c'était le grand mystère. J'assistais à ces conversations qui m'échappaient totalement.

Mon grand-père possédait une bibliothèque, qu'il appelait « son enfer », qui était bien garnie d'auteurs à l'Index comme Baudelaire, Rimbaud, Voltaire. C'étaient des ouvrages supposément introuvables à l'époque, mais si vous cherchiez bien, vous arriviez à trouver. Pendant assez longtemps il a été secrétaire-trésorier de la Commission scolaire de Hull et s'est battu comme un diable dans l'eau bénite en faveur des bibliothèques, des livres et de la lecture.

Mon oncle Lucien, qui habitait derrière la maison de mon grand-père, était propriétaire d'une tabagie. Il a passé sa vie à lire. Je l'ai toujours vu installé dans un coin de sa boutique avec un magazine ou un bouquin. C'est dans sa bibliothèque que ma cousine Marcelle et moi avons découvert les romanciers absolument interdits ici comme Victor Margueritte qui avait écrit *La Garçonne*, un roman dit « féministe » où il était question d'adultère. Mais je ne fréquentais pas que des auteurs défendus ! L'idole de mon enfance était Jules Verne : j'ai dévoré tout Verne dans les vieilles éditions illustrées. Lorsqu'on me demandait ce que je voulais comme cadeau, je répondais infailliblement « un Jules Verne ». Un peu plus tard, je me suis attaqué à Paul Bourget, un auteur que ma mère affectionnait particulièrement, et à Maurice Leblanc, auteur des *Arsène Lupin*. Comme ma mère était originaire d'Ottawa, elle était abonnée à la bibliothèque publique de cette ville. À Hull, il n'y en avait pas encore. J'utilisais donc sa carte pour emprunter tous les livres que je désirais.

Je dois mes premiers émois aux *Fleurs du mal* de Baudelaire, que j'ai lu à l'âge de neuf ou dix ans. J'étais précoce. Mes premières amours féminines datent aussi de cette période. Ma tante Lucille, la jeune sœur de mon père, et ma cousine Marcelle, mon aînée de quatre ou cinq ans, ont été les premières femmes que j'ai regardées comme des femmes et non pas comme des sœurs. Ma tante Lucille me sortait beaucoup. Elle m'emmenait au cinéma à Ottawa et m'achetait des vêtements. C'est elle qui m'a offert mes premières cravates. Elle jouait du piano et était très élégante. Pour moi, elle incarnait un peu l'idéal de la féminité.

La famille Provost était très présente dans mon quotidien, davantage que celle de ma mère, qui habitait de l'autre côté du pont. C'était déjà l'étranger. Nous allions faire le marché à Ottawa le samedi, mais c'était un petit voyage, une expédition, parce que ce n'était pas chez nous. Entre Hull et Ottawa, il y avait comme une frontière imaginaire : cette rivière qui nous séparait, le pont qu'il fallait franchir par tramway… puis, la langue, une autre langue qu'à dix ans je ne maîtrisais pas. J'ai appris l'anglais « sur le tas » quand je me suis mis à sortir avec des Anglaises d'Ottawa. Il n'y a rien comme d'avoir une amoureuse pour apprendre une autre langue, c'est le plus sûr moyen! Ottawa représentait tout ce côté exotique pour ma grand-mère Provost, qui a habité Hull toute sa vie sans apprendre le moindre mot d'anglais. C'était le bout du monde.

J'adorais mes grands-parents. Nous habitions à deux coins de rue de chez eux et j'étais toujours rendu là. En sortant de l'école, je m'y arrêtais pour monter le bois de ma grand-mère. Mon grand-père arrivait à quatre heures de la Commission scolaire et s'installait dans sa chaise berçante. Son journal *Le Droit* l'attendait, sa pipe, son crachoir… tout un rituel. Je m'asseyais sur une petite chaise à côté de lui et, prétextant que sa vue baissait, il me faisait lire le journal à voix haute. Il exigeait que j'articule correctement. Je pense qu'il voulait m'initier à la lecture. C'est ainsi que je suis devenu, à l'âge de sept ans, spécialiste du procès de Hauptmann, présumé ravisseur du bébé de Charles Lindbergh dont il était abondamment question dans les journaux de l'époque.

Mon grand-père suivait mes études attentivement. Ça m'a beaucoup aidé. Tout jeune, il m'a fait entrer comme lecteur au presbytère Notre-Dame-de-Grâces de Hull. Tous les midis, au lieu d'aller manger chez moi, je faisais la lecture de biographies pieuses aux moines pendant leur repas. J'ai appris à articuler, à faire attention. Je me suis cultivé. Il m'arrivait de buter sur des mots nouveaux que je ne savais comment prononcer, comme CHAOS, que j'avais prononcé KAOSSE. Cela les faisait bien rire.

Mon grand-père était, à plusieurs égards, une légende dans la ville de Hull. Sa corpulence — il faisait plus de six pieds — et sa force frappaient l'imagination. Dans la famille, on raconte que, lors de l'incendie de 1900, il avait contribué à vider plusieurs maisons en transportant des meubles sur son dos. On l'aurait même aperçu avec un piano sur le dos! De plus, il avait gagné une bataille célèbre contre la Commission scolaire en obtenant une augmentation de salaire pour les institutrices de la ville de Hull et avait également réussi à faire payer le bois de chauffage des petites écoles de rang par la Ville et les commissaires. Je pense que c'est à la suite de cette victoire sociale qu'une délégation de Hullois est venue pour tenter de le convaincre de se présenter à la mairie. Il s'est amené dans toute sa gloire sur son petit balcon de bois du premier étage et, tout à coup, ma grand-mère est arrivée par-derrière, l'a attrapé par le fond de culotte et l'a sorti de là. Toute petite, mais très énergique, elle a grimpé sur le bord de la balustrade pour s'adresser aux gens : « Jos a les mains propres et il va les garder. Oubliez la mairie… » La carrière politique de mon grand-père s'est terminée là. Il ne s'est jamais présenté!

C'était l'époque du respect des parents et des grands-parents. Mon grand-père était un homme extrêmement sévère, mais c'était un cœur d'or. Nous avons été élevés d'une façon relativement stricte mais, par contre, dans une sorte de jeu continuel que constituaient toutes ces répétitions. Mon père avait un côté très comédien, très théâtral, autant dans son rôle de père que dans celui de patron à l'imprimerie. Pour dire une chose très simple, il pouvait débiter un long discours. Ma mère lui disait quelquefois : « Commence pas à t'écouter parler, t'es pas sur scène. » Cela le rendait furieux. Il avait cette espèce de déformation : il adorait jouer. D'ailleurs, nous, les enfants, nous nous y sommes laissé prendre longtemps. Il était très impressionnant : il avait une certaine corpulence et puis une voix de stentor… un genre de Raimu. Pendant longtemps, ses airs bourrus nous ont impressionnés, ses éclats de voix nous faisaient presque peur, jusqu'au jour où nous nous sommes rendu compte que c'était du théâtre, comme disait ma mère. Il m'arrive de regretter que ce ne soit pas lui qui ait eu l'occasion de faire les études et la carrière que j'ai pu faire, parce qu'il était extraordinairement doué. Il avait le sens et le goût du théâtre et beaucoup de flair pour reconnaître le talent.

Du théâtre amateur

Mon père organisait des tournées avec sa troupe, Les Amis enregistrés. Comment il réussissait à faire son travail à l'imprimerie à travers tout ça, je n'en ai jamais rien su ! Quand il partait en tournée, il mettait la clé dans la porte, payait son monde et leur disait de revenir dans trois jours. Il ne faisait pas un sou avec son théâtre. À partir de l'âge de quatorze ou quinze ans, je l'accompagnais. D'ailleurs, plusieurs membres de la famille Provost faisaient partie de la troupe. La plupart du temps, mon frère Jean était régisseur, ma sœur Gisèle, actrice, et ma mère, accessoiriste, souffleuse ou actrice. Mon père avait une fort mauvaise mémoire et, en raison de toutes ses responsabilités, ne savait pas toujours ses rôles. Comme ma mère connaissait bien mon père, elle pouvait prévoir ses trous de mémoire. C'est ainsi qu'elle est devenue spécialiste du métier de souffleuse, qui exigeait patience et abnégation et était pratiqué la plupart du temps par une femme.

À cette époque, on retrouvait encore, dans tous les théâtres professionnels, la boîte de la souffleuse qui trônait au beau milieu du plateau et sous laquelle se trouvait la personne avec un petit lutrin ou une table et une faible lumière. Certains acteurs, comme Henri Letondal à l'Arcade, étaient réputés pour « jouer au souffleur* ». L'acteur se rendait près de la boîte pour bien entendre la souffleuse qui devait articuler au maximum et sur le souffle, afin que ses mots se rendent le plus loin possible sans que l'auditoire ne les entende. Tout un art! Ma mère y était devenue très habile, et mon père avait développé une technique infaillible pour prendre toutes ses répliques. Même si la boîte a disparu aujourd'hui, il y a encore quelqu'un qui tient le texte dans les théâtres, surtout le soir de la première. En principe, c'est le régisseur ou le directeur de plateau.

Pour moi, c'était assez clair que le théâtre était ce qui me plaisait le plus. Je poursuivais bien en même temps des études en chimie à l'École technique de Hull, mais ça m'intéressait peu. Il n'y avait que les cours de littérature de M. Vincent et la bibliothèque bien garnie de l'aumônier Couture qui m'attiraient. Au début des années 1940, quand nous faisions du théâtre à l'extérieur de la ville avec la troupe de mon père, nous rentrions quelquefois à deux ou trois heures du matin, ce qui, les lendemains de tournée, me causait beaucoup d'ennuis à l'École technique. J'ai tout de même obtenu de peine et de misère mon diplôme, puis un emploi à l'usine Canadian International Paper à Gatineau, que j'ai abandonné assez rapidement. Avec la troupe, nous jouions un peu partout dans l'Outaouais québécois et ontarien : Luskville, Casselman, Embrun, rarement à Ottawa qui nous paraissait snob. Nous faisions tout

---

* Jouer avec l'aide du souffleur.

nous-mêmes : nous n'avions ni techniciens ni machinistes. Les femmes s'occupaient des costumes, et les hommes défaisaient les décors pour ramener le tout en ville bien ficelé sur le toit de la voiture. Des randonnées terribles, surtout en hiver !

Il ne faut pas oublier qu'on était en guerre et qu'il était très difficile de trouver de bons pneus et des pièces de rechange pour les automobiles. Mon père n'était pas riche. Nous achetions donc des pneus usés à la semelle. Les crevaisons, les pannes d'essence et les pièces mécaniques défectueuses étaient monnaie courante. Heureusement, un de nos comédiens, le peintre Jean Alie, était aussi un excellent mécanicien. Mon père s'arrangeait pour lui trouver un petit rôle dans la pièce et pouvait ainsi compter sur ses talents de mécanicien. Étant donné que le père de Jean était propriétaire d'un garage, il faisait d'une pierre deux coups. De plus, comme mon père n'avait aucun sens de l'orientation et que nous roulions souvent de nuit sur des routes mal éclairées, nous nous perdions régulièrement dans la nature. Il fallait réveiller les fermiers des environs, qui n'appréciaient pas toujours.

S'il lui arrivait de perdre le nord sur la carte, mon père ne le perdait jamais dans la gestion de sa troupe. C'est ainsi qu'il avait intégré à l'équipe deux jeunes admiratrices américaines que Jean Alie et moi avions rencontrées lors de vacances à Buffalo. Nous leur avions malencontreusement donné nos adresses et nos numéros de téléphone, et un beau matin, elles avaient rebondi chez moi. Mais ma mère ne voulait rien entendre de les loger. À cette époque, on n'était pas aussi évolué qu'aujourd'hui ! Les parents de Jean, qui avaient plusieurs filles et… une grande maison, ont accepté de les accueillir. Sur ces entrefaites, nous partions en tournée et les filles voulaient nous suivre. Mon père a accepté à la condition qu'elles travaillent en tant que repasseuses de costumes, cuisinières, bref, qu'elles soient bonnes à tout faire. Bénévolement, il va sans dire !

En rétrospective, ces tournées revêtent tout de même un aspect comique. C'est plutôt hilarant de songer à cette bande de bohémiens mal nippés et sans argent parcourant les petits patelins avec de vieilles bagnoles pour aller jouer devant les gens de l'arrière-pays. Parmi les troupes outaouaises, celle de mon père était la seule à se déplacer ainsi. Il y avait plusieurs troupes montréalaises qui venaient en tournée de temps en temps, comme celle de Duaner-Renaud qui, dans le temps de Pâques, présentait la *Passion du Christ* avec Paul Berval et Jean-Paul Kingsley. C'était un spectacle plus professionnel, avec de grands acteurs comme Sita Riddez, Jacques Auger et autres. Nous, nous étions vraiment les petits, les obscurs, les « sans-grade », comme disait Rostand.

C'est ainsi que la troupe de *Un homme et son péché* s'est amenée dans l'Outaouais pour un périple organisé par mon père. Elle était composée d'interprètes bien connus pour leur rôle dans l'émission de radio : Hector Charland, dans le rôle de Séraphin, Albert Duquesne, dans celui d'Alexis, et Fred Barry, dans celui du gros docteur. Après la représentation, mon père a reçu les membres de la troupe à la maison, et je me souviens que ma pauvre mère avait dû se taper tout le buffet. Ma grand-mère venait écouter avec nous, tous les soirs, la série radiophonique. D'ailleurs, la vie de tout le Québec s'arrêtait quasiment à l'heure de la diffusion de l'émission *Un homme et son péché*. Tout le monde était à côté de son appareil pour écouter. C'était le cri de ralliement de la province, comme *La Famille Plouffe* l'est devenue plus tard à la télévision. Aussitôt qu'on entendait l'indicatif musical, on se précipitait au salon ou à la cuisine. Ma grand-mère ne faisait donc pas exception et elle détestait souverainement le personnage de Séraphin. Quand elle l'a vu arriver dans le salon de mes parents, elle s'est levée, a refusé de le saluer et a quitté la réception sur-le-champ. Elle ne comprenait pas que mon père puisse recevoir un personnage aussi pingre. Cela la dépassait. Nous avons eu beau essayer de lui expliquer qu'il s'agissait d'un rôle, pas moyen ; « mémère » n'arrivait pas à dissocier le personnage du comédien. Pas étonnant qu'à la même période, Radio-Canada ait été inondée de cadeaux pour Donalda à la naissance de son fils. On savait Séraphin trop avare pour bien s'occuper de sa femme, et on faisait parvenir de la nourriture et des vêtements pour bébé à

Donalda — dont le rôle était joué par Estelle Mauffette — à l'adresse de Radio-Canada. C'est dire la puissance d'évocation, la fascination, la magie de ce nouveau média qu'était la radio. Le comédien qui avait la malchance d'y interpréter longtemps un rôle détestable risquait d'être haï pour toujours par le public. Ce fut le cas de Séraphin.

Le « théâtre aux armées »

Pendant la guerre, mon père avait entendu parler du « théâtre aux armées » qui existait en France et en Europe. Il s'agissait de troupes de théâtre constituées de comédiens ou d'apprentis comédiens appelés sous les drapeaux. Ils montaient des spectacles au front, comme les musiciens le faisaient. En 1943, mon père a donc proposé une tournée dans une dizaine de camps militaires du Québec dont Sorel, Farnham, Joliette, Montmagny et Lévis. Il fallait trouver une pièce qui cadrait bien. Pas *Athalie* de Racine, bien sûr! Mon père a déniché un vaudeville qui s'intitulait *Le Tampon du capiston,* ce qui signifiait en argot militaire « l'ordonnance du capitaine ». Du burlesque. Très drôle.

L'intrigue se passait dans une caserne. Le rôle principal était tenu par un gars de Hull, Arthur Saumier, un talent inné. Nous jouions en argot français. Nous n'imaginions pas un seul instant de l'adapter à la québécoise! Dans la troupe de mon père, nous nous efforcions de « perler » à la française. Nous écoutions les Jacques Auger, François Rozet, Sita Riddez et les grands classiques à la radio, et nous tentions de les imiter, de nous mettre l'accent dans l'oreille et dans la bouche… très mal, j'en suis sûr. Écouter ça aujourd'hui, on croulerait de rire. De fait, nous avions deux langages. Nous nous efforcions de bien parler sur scène, mais aussitôt que nous étions en coulisses ou sur le trottoir, nous retrouvions notre langage hullois de tous les jours. À la différence du pur français du Bas-du-Fleuve, c'était une langue très marquée par la proximité de l'anglais et aussi par la pauvreté du milieu social. La fameuse tournée n'a pas été un succès monstre. Les militaires y assistaient juste pour avoir congé d'entraînement, d'autant plus que mon père avait eu l'astuce d'inviter Paulette de Courval, une chanteuse très populaire, à venir chanter pendant les entractes. Je pense que les militaires auraient préféré voir une femme comme Marilyn Monroe plutôt que la troupe Provost!

Cette tournée dans les camps militaires devait me servir par après. Pendant la guerre, en tant qu'étudiants, nous faisions partie de la réserve. En 1944, lors de mon deuxième été à Britannia où je poursuivais mon entraînement avec le régiment de Hull, le colonel Lavoie, commandant du camp, m'a demandé de monter le spectacle de fin de séjour. J'avais décidé de jouer tout simplement *Le Tampon du capiston,* que je connaissais déjà. La pièce mobilisait beaucoup de comédiens, et l'action se déroulait dans la caserne qui était aussi l'habitation du capitaine. J'avais inventé une espèce de verrière au fond de cet appartement qui donnait sur la cour de la caserne, ce qui me permettait d'inclure les camarades de régiment dans le spectacle. Nous détestions l'entraînement et ceux qui participaient aux répétitions en étaient dispensés. Alors, le soir au mess, les gars essayaient de me soudoyer en m'offrant des bouteilles de bière pour faire partie du spectacle, à un point tel que le colonel Lavoie m'a convoqué en me disant : « Dites donc, vous avez besoin de beaucoup de monde dans votre spectacle vous! » Je lui ai expliqué que, si nous voulions un spectacle cohérent, il fallait des figurants. Mais quand je lui ai demandé la collaboration de certains membres des « CWAC » — le Service féminin de l'Armée canadienne, dont le camp d'entraînement jouxtait le nôtre — pour interpréter les rôles féminins, il a trouvé que je dépassais les bornes et a mis fin à mes velléités artistiques, tout net. Comme soirée d'adieu au camp, nous avons dû nous contenter d'un spectacle improvisé de musique et de chansons à boire!

Mes talents musicaux m'ont aussi permis d'obtenir une promotion instantanée. L'adjudant du camp, Bidou Lalonde — un ami de ma tante Lucille —, adorait la musique. Il s'était aperçu que je jouais du piano et que les gars aimaient se rassembler tout autour pour chanter en chœur. L'hiver précédent, j'avais suivi des cours spécialisés en vue d'obtenir un grade de sous-officier au régiment de Hull. Je n'avais pu l'obtenir, ne m'étant pas présenté aux examens de fin de session. Lalonde a finalement réussi à me faire admettre au mess des sous-officiers en qualité de lance-caporal, avec mission précise de jouer du piano pour les faire chanter, lui et ses camarades. C'était pour moi une façon plaisante de le remercier pour ma modeste « banane* ». Dans mon peloton, on me surnommait le « caporal-musical ».

L'École d'art dramatique de Hull

Autant mon père pouvait être irritable chez nous, autant il était d'une patience extraordinaire avec ses élèves. En 1945, il a fondé l'École d'art dramatique de Hull. C'était son dada, il voulait former des jeunes à cet art qu'il aimait tellement. Il n'avait, hélas, ni la formation ni la préparation, mais il avait assez de lucidité pour aller chercher des professeurs à l'extérieur. Chaque fin de semaine, il invitait des comédiens de Montréal, comme Henri Poitras, François Rozet, Nicole Germain et, plus tard, Georges Groulx, à venir enseigner. Il passait pour un fou, pour quelqu'un de bizarre avec son théâtre, son école et sa troupe, mais il était un animateur hors pair et un directeur d'acteurs exigeant, et davantage avec son fils ! Il ne mettait pas de pression sur moi, mais je sentais un grand intérêt de sa part. Grâce aux soirées organisées par mon père, j'ai établi mes premiers contacts avec le milieu professionnel de Montréal.

Lorsqu'il montait des pièces avec ses élèves, son principal problème était d'en trouver avec suffisamment d'acteurs et d'actrices surtout, pour faire travailler tout le monde. Tous et toutes voulaient participer au spectacle, c'était bien légitime. À la veille des premières, les heures de répétition étaient interminables au point où les parents, inquiets de leurs filles, téléphonaient à l'école aux petites

---

* Dans le jargon militaire, nom donné aux galons jaunes soulignant le grade.

heures pour s'informer. Au Congrès marial de 1947 à Ottawa, mon père était responsable de la figuration dans *La Passion du Christ* montée par Paul Gury. Tous les élèves ont participé aux représentations données à cette occasion. Les étudiants se présentaient aussi aux Festivals d'art dramatique de l'Est de l'Ontario à Ottawa. Quelques anciens de l'École d'art dramatique, Estelle Caron, Gilbert Chénier, Rhéal Guévremont, Guy Lagacé, ont poursuivi des carrières sur la scène montréalaise, mais c'est à Gilles Provost*, directeur actuel du Théâtre de l'Île de Hull, le seul théâtre municipal au Québec, que l'on doit la continuation de l'œuvre de mon père. Ce n'est pas pour rien qu'une salle de ce théâtre porte le nom René-Provost. C'est évident que mon pauvre père faisait ce qu'il pouvait avec sa petite troupe d'amateurs à Hull, mais j'ai été éveillé au monde du théâtre par lui et je lui en suis reconnaissant.

Jean Despréz et le départ pour Montréal

En 1946, après avoir folâtré sur les scènes hulloises et environnantes dans la troupe de mon père, je me suis bien rendu compte que le théâtre était ce qui me plaisait le plus dans la vie. Mon père voyait bien que je ne pensais qu'à ça. Mais c'était un métier extrêmement aléatoire, c'était… l'aventure. Il n'y avait pas de télévision, peu de cinéma, que de la radio. Il y avait quelques troupes à Montréal — l'Arcade, l'Équipe —, mais ça paraissait inaccessible pour un petit Hullois. Ma mère, autant que mon père, m'appuyait dans ma décision de poursuivre une carrière dans ce domaine, sans me dorer la pilule toutefois. Elle m'avait toujours dit que l'important était d'être heureux dans son choix. Tous deux étaient bien conscients de la précarité de ce métier et ne m'ont jamais caché que ce serait difficile d'en vivre ; mais ils ne m'ont jamais découragé ou empêché de le faire. Cet appui m'était précieux, car le métier de comédien était loin d'être bien vu.

---

* Aucun lien de parenté avec moi !

À ce moment-là est entrée en jeu Jean Despréz, pseudonyme de Laurette Larocque-Auger. Elle avait adopté un nom d'homme pour augmenter ses chances de s'imposer dans l'écriture dramatique à la radio, ce qui était très mal perçu pour une femme à cette époque. Elle aussi était Hulloise et avait épousé Jacques Auger, de Hull également. C'étaient des copains de mes parents, ils avaient fait du théâtre ensemble. Ils se connaissaient bien et, au fond, mon père, qui avait vu Auger partir pour la France à la fin des années 1920 et ainsi réaliser le rêve qu'il ne pouvait accomplir lui-même, me voyait suivre les mêmes traces. J'en ai entendu parler de Jacques Auger, autant comme autant! Il était le petit Hullois, presque sans instruction, qui avait réussi à se rendre à Paris. Il avait même été deux ou trois ans sous contrat à l'Odéon. C'est là qu'on l'avait convaincu de changer son prénom Oscar pour celui de Jacques. Oscar, ça ne faisait pas sérieux sur les affiches, surtout pour un tragédien!

Mon père a donc astucieusement invité Jean Despréz à une représentation de ses élèves dans laquelle je jouais également. Il s'est jeté à l'eau en lui demandant : « Qu'est-ce que tu en penses? — Il a des dons. — Est-ce que tu ne ferais pas quelque chose pour lui éventuellement? — Si tu veux. » Pour répondre aux souhaits de mon père, elle m'a engagé comme secrétaire à Montréal. En février 1946, me voilà parti pour Montréal, plein d'espoir.

Jean Despréz était déjà une auteure de feuilletons populaires, comme *Jeunesse dorée* et *Yvan l'intrépide*. Elle était aussi journaliste et critique réputée de théâtre. Elle s'agitait beaucoup et était très occupée. C'était une personnalité dans le monde du spectacle. Pour moi, Montréal représentait la grande affaire, un genre de choc culturel, mais mon adaptation a été extrêmement facilitée par le fait d'être le protégé de Jean Despréz. Elle était déjà séparée de Jacques Auger et vivait seule. Elle allait au théâtre et se montrait rarement accompagnée. Je lui servais de secrétaire et de chauffeur. Du jour au lendemain, j'assistais avec elle à tout ce qui se produisait en théâtre à Montréal, ce qui n'est pas peu dire. Nous étions reçus partout parce qu'évidemment, on déroulait le tapis rouge devant Mme Despréz qui faisait la pluie et le beau temps dans le domaine de la critique. Elle était soignée aux petits oignons. J'en profitais, j'étais là, j'étais le « prince qu'on sort » ! Tous ces spectacles... un rêve !

Après les représentations, je la ramenais avec sa voiture sur la rue Van Horne où elle habitait. Et c'étaient des discussions à n'en plus finir autour d'un café, jusqu'à deux ou trois heures du matin. Je tentais de travailler comme secrétaire en tapant de peine et de misère ses textes, mais j'étais le plus souvent plongé dans sa bibliothèque de théâtre. Une bibliothèque remarquable. Je fouillais là-dedans, je lisais tout. Mme Despréz était généreuse, me prêtait des livres et s'intéressait beaucoup aux jeunes curieux. Elle me donnait des petits rôles dans ses séries à la radio et m'offrait dix à douze dollars par semaine. À ce moment, un quart d'heure d'enregistrement à la radio, représentant en fait deux heures de travail, était payé sept dollars. C'était peu, mais quand même rémunérateur, car j'avais deux ou trois petits rôles par semaine, et j'arrivais à me débrouiller. Les vedettes pouvaient alors gagner jusqu'à trois ou quatre cents dollars par semaine, avec la scène et la radio. Jean Despréz me faisait répéter elle-même. Il est vrai qu'elle avait été professeure d'art dramatique à l'Université d'Ottawa.

Plutôt provocatrice, elle avait fait scandale plus d'une fois avec ses déclarations intempestives. Dans ses émissions, elle a souvent été la première à aborder des sujets spécifiquement féminins, des sujets qui n'avaient jamais été touchés à la radio ou à la scène. Par exemple, elle avait fait tout un pétard dans un épisode de *Jeunesse dorée* en parlant de menstruations et de concubinage. On ne parlait pas de ces choses-là en ondes. Elle, elle osait. C'était une maîtresse-femme qui avait un culot monstre. Rien ne l'arrêtait. Son mari, Jacques Auger, était un timide qui croyait énormément en lui, mais manquait d'audace pour foncer. Elle avait pris les bouchées doubles. S'il avait été seul, malgré ses études, cela aurait été plus difficile pour lui. C'était un tragédien et ici, quand il est revenu d'Europe, il n'y avait pas de public pour la tragédie. Elle lui écrivait des rôles dans ses feuilletons et en a fait une vedette de la radio. Elle avait une vitalité fantastique qui soutenait Auger d'une façon formidable.

Moi, je n'aurais pas voulu vivre avec cette femme-là. Trop fatigant. C'était un tourbillon qui n'arrêtait pas. Un feu roulant. Elle se couchait aux petites heures et était à sa table de travail à six heures du matin. Elle ne dormait presque pas. Toute sa journée s'enchaînait d'une façon époustouflante : sa chronique quotidienne, ses radioromans, ses adaptations, les Théâtres Ford. Elle abattait un travail inouï, allait au théâtre, écrivait ses chroniques, son courrier du cœur, s'embarquait dans des polémiques, des bagarres. C'était affolant. En tant que critique, elle n'avait pas la langue dans sa poche. Elle a descendu beaucoup de spectacles et lorsque son tour est arrivé, lors de la présentation de sa pièce *La Cathédrale* en 1949, elle était attendue. Ce n'était pas très bon et on ne s'est pas gêné pour le lui dire, car elle avait beaucoup d'ennemis parmi les journalistes.

🎭

Quand j'ai commencé à jouer pour Despréz, je me suis retrouvé avec les grands de la radio, MM. Barry et Duquesne, entre autres. Comme je débutais, ils me donnaient des conseils. Fred Barry m'avait expliqué qu'il ne fallait pas aspirer à devenir une vedette, que c'était extrêmement fatigant, que les premiers rôles étaient épuisants : trop de responsabilité et trop de stress. Il m'avait conseillé les deuxième et troisième rôles, et de me tenir près de la vedette : « Comme ça, tu risques de sauter dans les mêmes voitures qu'elle et puis, quand elle est photographiée, tu te retrouves sur la photo. » C'était assez comique. Il avait ajouté que je pourrais ainsi faire de beaux voyages tout en ayant le loisir de visiter pendant que la vedette se fatiguerait à donner des entrevues. C'est à peu de choses près la situation que j'ai vécue plus tard avec les tournées du Théâtre national populaire (TNP) quand les journalistes s'arrachaient Gérard

Philipe, tandis que les autres membres de la troupe voyageaient librement.

Albert Duquesne, texte en main, m'avait fait part de sa conception du théâtre : « Tu vois, le théâtre pour moi, c'est le théâtre écrit que tu lis, pas celui que tu apprends par cœur. C'est fatigant ça, c'est stressant. C'est écrit, tu le lis. » Ce furent mes premiers contacts avec le milieu montréalais. Je ne dirais pas que ces conseils m'ont été salutaires, mais ils dénotaient une attitude révélatrice d'une génération d'acteurs qui avait surtout connu la radio. Quand ils partaient en tournée, ces comédiens trouvaient difficile de jouer sur scène. Ils n'étaient pas habitués à mémoriser des textes. Ils devaient apprendre à se déplacer, à s'asseoir. C'était toute une affaire ! Plus tard, quand la télévision est arrivée, plusieurs d'entre eux étaient déjà âgés et ont disparu de l'actualité. Ils ne pouvaient pas s'adapter. Ils projetaient beaucoup trop et n'arrivaient pas à se concentrer parmi les mouvements des techniciens.

Despréz a été pour moi un mentor. Elle m'a beaucoup aidé et m'a ouvert tout un monde. Elle recevait chez elle des vedettes internationales : Fernandel, Maurice Chevalier, Charles Trenet. J'étais là. Je rencontrais tous ces gens, jusqu'au jour où elle en a eu assez de mon travail de secrétaire. Cela s'est bien passé. Elle n'osait pas me mettre à la porte. Je faisais ce que je pouvais, mais je me sentais mal à l'aise.

C'est à ce moment que nous avons assisté à une représentation d'une pièce au Gesù, *Le Bal des voleurs* d'Anouilh, jouée par les Compagnons de saint Laurent. Sur le coup, j'ai été complètement emballé : c'était une révélation, je n'avais jamais vu du théâtre comme ça. C'était un peu comme du théâtre total, dans le sens où il y avait de la musique, de la danse, du chant, de la couleur. C'était jeune, ça gambadait, ça bougeait, c'était vivant, frais, poétique ! J'étais ébahi, conquis. Jean Despréz, qui était déjà d'une autre génération, était plus réticente. Nous sommes rentrés chez elle et avons discuté ferme. Je défendais mon point de vue, j'étais séduit. C'était le genre de théâtre que je voulais faire. Devant mon enthousiasme, elle a téléphoné au père Legault qui a accepté de me recevoir dès le lendemain à la maison des Compagnons, rue Saint-Viateur à Outremont.

Les coulisses des Compagnons

Au premier abord, j'ai été conquis par le charme, le charisme, la vive intelligence du père Legault. Il m'a parlé avec enthousiasme de son installation prochaine à Vaudreuil et m'a proposé tout de go de me joindre à l'équipe. J'en étais confondu! Il ne m'a pas demandé d'auditionner même s'il ne m'avait jamais vu jouer! À ce moment-là, la troupe répétait *La Nuit des rois* dont la première devait avoir lieu quelques jours plus tard. Legault m'a suggéré d'assister aux derniers enchaînements, à partir des coulisses, pour pouvoir donner éventuellement un coup de main au directeur de scène, Jean Choquet. J'ai accepté avec empressement et suis sorti de là flottant sur un nuage.

En rentrant chez moi, rue Cherrier, dans la modeste chambre que me louait une amie de ma mère, j'ai téléphoné à mes parents afin de leur faire part de la bonne nouvelle. Ma mère s'est réjouie avec moi. Brave maman, toujours d'accord avec son grand fils! Quant à papa, il s'est montré plus réticent. Cette troupe de collégiens, qu'il ne connaissait ni d'Ève ni d'Adam, ne lui disait rien qui vaille. Il me voyait plutôt en haut de l'affiche, sur la marquise de l'Arcade, dans le rôle-titre d'une pièce de Bernstein ou de Lavedan. Quand il a vu plus tard les Compagnons au travail, il est devenu l'un des plus fervents admirateurs du père Legault et de son œuvre, allant jusqu'à « faire le coup de poing » avec René O. Boivin, médiocre critique de théâtre montréalais à ses yeux, qui a eu l'outrecuidance de descendre la pièce *Le Viol de Lucrèce*.

Le lendemain, je me suis précipité au Gesù. Sans difficulté, j'ai accédé au plateau et aux coulisses où j'ai connu tant d'émotions au cours des trois années suivantes. Sur le coup, j'ai pensé être tombé dans une maison de fous. Dans un coin, des gens fabriquaient un pan de décor, dans un autre, certains peignaient une toile ou alors, c'était Alfred Pellan qui s'évertuait à camper et à ajuster des étoffes sur le corps même des comédiennes. Je le soupçonnais de trouver plus agréable de travailler directement sur la matière vivante que sur un plat mannequin fait de toile, de caoutchouc mousse et de broche! Dans la salle, un peu en retrait, quelques comédiens revoyaient leurs scènes. Et tout cela, dans un vacarme assourdissant de bruits de marteaux, de scies, d'ordres clamés, de rires et même de chansons. Cette folle ambiance n'était pas sans me plaire.

Comme le père Legault n'avait pas cru bon de me présenter qui que ce soit, distrait par toutes ses responsabilités je présume, j'errais comme une âme en peine dans tout ce fatras. Jusqu'au moment où un monsieur, qui semblait avoir une certaine autorité sur cette bande de joyeux lurons, s'est enfin aperçu de ma présence. Je lui ai expliqué que le père Legault m'avait invité à offrir mes services au directeur de scène, Jean Choquet. Il m'a répliqué : « C'est moi », et m'a confié de petits travaux. Il a été le premier Compagnon que j'ai officiellement connu. Quant aux autres, ils m'ont totalement ignoré ce soir-là. Je ne me souviens pas d'avoir échangé un seul mot avec aucun d'eux, si ce n'est, vers minuit, d'avoir demandé à Jean Coutu où se trouvait la sortie, ce qu'il m'a aimablement indiqué. Je suis rentré chez moi, fourbu mais heureux comme un roi.

Chapitre II

L'aventure des Compagnons de saint Laurent

Pour dire oui, il faut suer et retrousser ses manches,
empoigner la vie à pleines mains
et s'en mettre jusqu'aux coudes.
C'est facile de dire non, même si on doit mourir.
Il n'y a qu'à ne pas bouger et attendre.
Jean ANOUILH, *Antigone*

J'AI DONC FAIT mes débuts avec les Compagnons de saint Laurent dans *Antigone* de Anouilh, en 1946. Je jouais le rôle du garde muet. À l'époque, c'était fréquent de débuter ainsi. De toute façon, j'étais prêt à n'importe quoi pour jouer! La distribution d'*Antigone* était assez éclatante : Jean Gascon dans le rôle de Créon, Jean-Louis Roux dans celui du chœur, Jean Coutu dans Hémon, Thérèse Cadorette dans Antigone, Denise Vachon, ma future femme, dans Ismène, Georges Groulx, dans le rôle du premier garde qui, lui, parlait... J'assistais à toutes les répétitions. C'est ainsi que j'ai appris à connaître ceux et celles qui allaient devenir non seulement des camarades de travail mais, pour plusieurs d'entre eux, des amis intimes.

Le théâtre selon Legault

La présentation de *La Nuit des rois* avait fait de l'effet et avait failli causer la ruine des Compagnons par l'ampleur des désormais célèbres costumes et décors d'Alfred Pellan. Monter trop souvent des productions de cette envergure aurait pu mettre les Compagnons en faillite rapidement, c'est certain. Ouvert à toutes les audaces, le père Legault, l'âme et le fondateur des Compagnons, s'était lancé dans cette entreprise avec Pellan sur les conseils de Jean-Louis Roux et de Jean Gascon. C'était pourtant contraire à ses croyances initiales qui s'inspiraient de Jacques Copeau et qui sont devenues son credo par la suite : le tréteau nu, la sobriété, le texte… Nous, nous résumions ainsi : « Les acteurs à poil sur un plateau nu. » Pour Copeau, le texte, l'auteur et l'acteur devaient être l'expression essentielle du théâtre. Cette aventure de *La Nuit des rois* à la Pellan se situait aux antipodes des convictions de Legault. C'était un Shakespeare revu et corrigé par Pellan. Une partie des critiques n'étaient pas d'accord. Ils étaient déroutés. Ils n'avaient peut-être pas tort. Dans le fond, c'était une exposition Pellan illustrée par un texte de Shakespeare ! Par après, le père Legault a avoué que, s'il avait eu à retravailler avec Pellan, il ne lui aurait pas laissé la bride sur le cou. Que les pauvres Compagnons, sans argent, sans moyen, sans expérience, aient tenté une telle aventure à l'époque est quand même symptomatique de l'esprit du père Legault et de toute cette équipe-là.

Il faut rappeler que l'on sortait tout juste de la guerre et qu'il était impossible de trouver du bon maquillage à cause des rationnements sur le pétrole. Il fallait aller à New York pour trouver des produits de qualité moyenne. Pellan avait choisi des maquillages outranciers. C'était extraordinairement coloré, mais presque impossible à effacer : c'était de la vraie peinture. Les filles en avaient des problèmes de peau tellement elles avaient un mal fou à se démaquiller. La pièce a été reprise en 1974-1975 au Théâtre du Nouveau Monde (TNM), avec les mêmes décors.

Le père Émile Legault était un grand curieux et un assimilateur hors pair. Il avait conservé un petit côté scout, hérité de sa longue expérience dans l'Action catholique. Et il œuvrait presque en terrain vierge. Lors de son séjour en France, il s'était intéressé au travail de Jacques Copeau qui a fondé le Vieux-Colombier en 1913. Copeau s'insurgeait contre tout superflu sur scène, au détriment du texte et de l'auteur, contre le côté vedettariat des acteurs et des auteurs à la mode qui étaient souvent d'habiles écrivains, sachant très bien fabriquer une pièce de théâtre, mais qui s'enlisaient presque toujours dans leurs histoires d'alcôves traitant du sempiternel triangle : amant, mari ou femme trompés, maîtresse.

Même avant d'aller en Europe, en 1938, le père Legault avait l'intuition de tout ça. Il avait découvert Henri Ghéon qui pratiquait une sorte d'ascèse au théâtre. En Europe, il avait pris contact avec Chancerel qui se voulait l'héritier direct de Copeau et qui est allé plus loin que lui d'ailleurs, presque vers le dénuement sur scène. Legault se situait entre Chancerel et Copeau. Il cherchait un théâtre poétique, transcendant, qui pouvait ennoblir, élever l'être humain en traitant des choses essentielles, un théâtre universel. Au début, le répertoire des Compagnons était d'une orthodoxie tout à fait chrétienne, catholique ; mais au moment de mon arrivée dans la compagnie, celle-ci s'orientait déjà vers un répertoire plus éclectique.

Le père Legault rêvait d'un poète national à la scène. Il aurait bien voulu que Félix Leclerc, qui habitait avec nous à Vaudreuil et qui était ni plus ni moins que notre auteur en résidence, le devienne. Nous n'avons finalement joué qu'une seule pièce de Félix, *Maluron*, en 1947, avec son ami et complice Guy Mauffette dans le rôle-titre. Bien accueillie ma foi ! Il ne faut pas oublier qu'à cette époque, tout le monde ne jurait que par Paris. Le théâtre québécois n'existait à peu près pas, à part les revues de Fridolin et celles du Bleu et Or des étudiants de l'Université de Montréal. Félix a innové, il est un des premiers auteurs à s'être risqué avec une œuvre québécoise écrite pour la scène. Il y avait bien sûr Henri Deyglun et Claude-Henri Grignon qui adaptaient leurs radioromans au théâtre pour la tournée, mais il ne s'agissait pas de pièces écrites pour la scène au départ.

L'histoire de Maluron illustrait une situation qui traduisait assez bien l'état d'esprit des jeunes comédiens d'ici. Elle racontait l'aventure d'un jeune rural, joué par Guy Mauffette, qui rêvait, comme nous tous, d'aller faire carrière à l'extérieur du pays. Un beau jour, une équipe de Hollywood débarque dans son petit patelin, une troupe de cinéma dirigée par un hurluberlu, un metteur en scène du nom de Marcheglotte qui bavardait sans arrêt et dont je jouais le rôle. Je me suis beaucoup amusé dans ce rôle pour lequel j'avais composé un accent invraisemblable. Comme j'étais assez près de Félix, nous avons beaucoup travaillé ensemble pour bâtir le rôle et le personnage.

La pièce n'était pas une caricature des Compagnons, comme certains critiques l'ont alors écrit, mais il existait tout de même quelques rapprochements ici et là avec la situation des jeunes comédiens de l'époque qui désiraient tous dépasser la carrière locale. Comme le théâtre existait encore bien peu et qu'il ne restait pour ainsi dire que la radio, cela nous paraissait bien limité pour faire carrière. Quelques-uns rêvaient peut-être de New York mais, comme la plupart ne parlaient pas l'anglais, Paris était plutôt la destination visée… À ma connaissance, seul Paul Hébert a eu l'originalité de se diriger vers l'école du Old Vic de Londres qui avait été fondée par Michel Saint-Denis, le neveu de Jacques Copeau. C'était une excellente école aussi.

Félix a écrit d'autres œuvres pour la scène par après, surtout quand il a fondé sa troupe avec Guy Mauffette et Yves Vien. Ils ont souvent joué avec Guy Beaulne. Je pense que le rêve de Félix était de devenir un grand dramaturge. Il était un formidable auteur de contes, de textes relativement courts. Il excellait dans la chanson. Il avait le génie de raconter une histoire en deux coups de cuillère à pot, en deux, trois minutes. C'était un conteur extraordinaire qui prenait le plancher dans les soirées. J'allais souvent à la pêche avec lui le matin, à Vaudreuil. Il apportait toujours sa guitare et disait :

« J'ai fait ça hier avant de me coucher. Écoute ça… » J'ai eu comme ça la primeur de quelques-unes de ses chansons. Pendant notre séance de pêche, il racontait des histoires que j'écoutais en me disant qu'elles pourraient peut-être se transformer en œuvres théâtrales. Mais tenir un auditoire captif et en haleine durant deux ou trois heures, ça prend du souffle. On ne peut pas se permettre une minute d'ennui, sinon le public décroche. En général, un comédien qui a la formation requise et une belle sensibilité va sentir, dès le début des répétitions, ce qui peut clocher dans un texte de théâtre. Lorsque l'on bute à chaque fois sur le même passage, sur les mêmes phrases, c'est généralement qu'il y a quelque chose qui accroche dans le texte. Il faut trouver quoi. Cela se sent. Bien sûr, le comédien peut être de mauvaise foi mais là, c'est autre chose.

Félix, comme plusieurs auteurs, avait la mauvaise habitude de nous demander notre avis : « Écoute, je vais te lire ça, tu vas me dire franchement mais alors franchement, ce que tu en penses. » Si vous lui signaliez ce qui vous avait paru faible ou vraiment raté, ça le peinait ou le fâchait. Parfois, cela créait des froids. Plus tard, il lui est arrivé de proposer à Jean Gascon ou à Jean-Louis Roux des pièces qu'ils ont refusées. Cela l'a peiné terriblement. Au départ, il s'orientait vers la dramaturgie, le théâtre. Il était tout étonné d'ailleurs d'apprendre que ses petites chansons avaient un tel succès. Félix chantait pour son plaisir. Ses chansons étaient des bluettes pour s'amuser. Quand Jacques Canetti lui a offert d'aller à Paris, Félix l'a pris pour un fou. Il n'y croyait pas, ne savait pas ce qu'il irait faire là. Il ne voulait pas faire carrière dans la chanson. Son ami Guy Mauffette avait peut-être une vision plus juste de ses talents et se rendait parfaitement compte des limites de Félix en tant que dramaturge. Plus tard, quand j'ai vu Félix entrer en scène à Paris, ça m'a touché. Il suait à grosses gouttes, il était d'une timidité effarante. Il était plus à l'aise avec nous, dans son salon à Vaudreuil.

Un poète national, c'est bien beau tout ça, mais des Shakespeare il n'y en a pas tous les siècles ! Legault cherchait l'Auteur dramatique, le Shakespeare, le Bertolt Brecht national… et il n'en trouvait pas.

C'est une question de civilisation : on n'était pas encore mûrs. Cela ne pouvait tout de même pas venir du théâtre de boulevard ! L'Équipe, de Dagenais, faisait un travail remarquable, avec une conception du théâtre bien différente de celle de Legault, plus professionnelle. Dans les années 1940, Pierre Dagenais a bien failli être consacré l'homme de théâtre que le Canada français attendait. Despréz et d'autres critiques l'ont porté aux nues. Il a été encensé tout jeune, trop peut-être, il s'est tu. C'est dommage, même s'il a écrit et réalisé des émissions intéressantes à Radio-Canada après cette percée fulgurante. Quand Félix Leclerc et, ensuite, Gratien Gélinas se sont risqués dans l'aventure de l'écriture dramatique, peu de gens ici y croyaient. Même les jeunes comédiens manifestaient de la réticence : nous souffrions alors d'un énorme complexe d'infériorité. Nous nous disions que nous n'avions pas d'éducation ni de culture, que nous ne savions ni vivre ni manger… Nous ne prenions pas ça au sérieux, ces histoires de terroir, de ferme et de monde rural. Nous voulions sortir de ça. Gratien Gélinas a eu ce mérite : il y a cru et a foncé, avec ses sous en plus ! À la scène, je pense qu'on attend toujours notre Molière, Lope de Vega ou Calderón. Cela peut venir, qui sait, de Normand Chaurette ou encore de Robert Lepage…

Legault voulait une troupe très humble devant le texte et l'auteur. Nous étions au service de l'œuvre et il fallait se fondre dans l'équipe. Il n'était pas question que, tout à coup, il y en ait un qui émerge. Il avait érigé l'anonymat en norme pour éviter que le vedettariat ne vienne briser la cohésion de la troupe, et peut-être aussi pour contrer les départs qui se multipliaient quand les comédiens devenaient des vedettes ! Plus sollicités et mieux payés, ceux-ci pouvaient s'échapper vers d'autres troupes. Legault devait sentir ça. Il avait instauré à cet effet un roulement dans la distribution des rôles. Mais cela dit, comme dans toute équipe, il y en avait qui étaient plus doués, des talents naturels. C'est évident qu'il se créait un certain clivage, mais le père Legault nous inculquait le goût du travail collectif et nous y croyions. D'abord l'équipe! À la fin du spectacle, toute la Compagnie saluait ensemble. Dans le programme, il n'y avait jamais de noms... sauf le sien. Il signait la mise en scène, la direction. De toute façon, tout le monde le connaissait.

Le père Legault était un éveilleur. Il avait cette qualité. Il a donné le feu sacré même à des gens qui pensaient ne pas l'avoir. C'était un recruteur de comédiens assez formidable. Il avait du flair et ne s'est pas trompé tellement souvent : les noms de Jean Gascon et Jean-Louis Roux qui se destinaient à la médecine, Georges Groulx, Bertrand Gagnon, Jean Coutu, Jacques Létourneau, Lionel Villeneuve, sont là pour l'attester. Il se sentait moins à l'aise avec les femmes. Peut-être parce qu'il était prêtre et qu'il connaissait moins la psychologie féminine, ce qui ne l'empêchait pas d'avoir du succès auprès d'elles. Il a tout de même recruté des filles remarquables, comme Renée David, Thérèse Cadorette, Denise Vachon, Lucille Cousineau, Hélène Loiselle, pour ne nommer que celles que j'ai connues alors que j'y étais.

Il y avait tout de même un petit côté amateur dans ce que faisaient les Compagnons. Nous ne suivions pas de cours de diction et avions tendance à en faire beaucoup, à trop « acter » comme disait Georges Groulx. D'ailleurs, plus tard à Paris, nous allions apprendre non pas tellement à FAIRE certaines choses, mais à NE PLUS LES FAIRE. Aujourd'hui, on reverrait les productions des Compagnons et on trouverait ça outrancier. Ce qui nous sauvait probablement, c'était la générosité qui se dégageait de nos spectacles, et la joie que nous éprouvions à jouer devait se communiquer à notre public indulgent. Nous y allions à fond. Georges Groulx disait qu'il s'était cassé la voix chez les Compagnons. Il a dû peiner par la suite pour la retrouver. Nous jouions souvent en plein air et, pour nous faire entendre, nous avions pris l'habitude de projeter beaucoup trop, sans savoir comment bien respirer. Il n'y a rien de pire pour les cordes vocales.

La postérité se plaît parfois à présenter les Compagnons comme une bande de jécistes qui s'amusaient avec du théâtre chrétien, en brandissant des croix et des oriflammes ; mais ce n'était pas tout à fait ça. C'était bien davantage ! On a badiné, on a fait des blagues sur les *Je vous salue Marie* qui se disaient en coulisses les soirs de première ; mais ce n'est pas une superstition qui me paraît plus bête que celle de tâter la queue d'un lapin dans sa poche de costume ou celle de se lancer des « merde » retentissants par la tête comme le veut la tradition française. Je pense que l'on n'a pas assez insisté sur l'importance du travail du père Émile Legault. C'est sûr qu'il n'était pas un grand metteur en scène ; c'est même à se demander s'il en était simplement un bon, mais il a fait sa marque d'une façon extraordinaire dans le théâtre québécois. À mon sens, le travail de Legault a été déterminant pour l'évolution du théâtre québécois. Et la vraie histoire des Compagnons reste toujours à écrire.

La troupe au quotidien

Quand je suis arrivé chez les Compagnons, ils s'apprêtaient à vivre l'expérience ultime de la vie en commun. Legault rêvait d'imiter l'expérience des Copiaux, cette troupe de jeunes constituée par Copeau lorsqu'il a abandonné son Vieux-Colombier de Paris pour se réfugier en Bourgogne. Avant la lettre, Legault a fondé une commune à Vaudreuil, dans Les Chenaux, sur un immense domaine acquis par la communauté des pères de Sainte-Croix. Appartenir à une communauté religieuse comportait bien des avantages. Et comme le père Legault n'avait pas connu autre chose que la communauté, il répétait l'expérience avec nous. Il avait un charme fou et un grand pouvoir de persuasion. Il obtenait tout. D'ailleurs, il le fallait parce que nous n'avions pas d'autres moyens. Il fallait faire du charme.

Le domaine de Vaudreuil était immense et superbe, avec de petites maisonnettes disséminées sur le terrain, habitées par les couples mariés, et une grosse maison que nous appelions la Centrale, où le père avait son bureau et sa chambre. C'est là que se déroulaient les répétitions. Les Compagnons s'y sont installés à demeure en 1946. Personne ne savait jouer au tennis, mais nous avions deux courts et c'est là que nous avons tous appris! Nous ne faisions pas d'équitation, mais nous avions une écurie avec des chevaux. C'était un domaine de millionnaire à entretenir et nous étions pauvres comme Job, pas un rond en poche. Imaginez une douzaine de gars et de filles mordus de théâtre qui faisaient ce qu'ils aimaient dans la vie. C'était un rêve, un lieu privilégié, un peu comme le camp musical d'Orford aujourd'hui. Aucune responsabilité pour les célibataires qui étaient pris en charge par le personnel d'entretien : le fermier et son assistant, les deux cuisinières, le personnel salarié, quoi.

Au début, tout ça fonctionnait un peu à la bonne franquette. Si quelqu'un avait besoin de cinq dollars, il allait voir le père Legault. Il n'y avait ni contrôle ni cagnotte commune : le père Legault menait tout. L'argent provenait de la communauté et des revenus du théâtre. Ça tiraillait tout de même un peu. Avec le temps, nous en avons eu un peu marre de vivre dans cette pauvreté relative. Nous n'avions quand même pas fait vœux de chasteté et de pauvreté! Nous prenions de l'âge, nous sortions avec les filles et voulions nous installer et nous marier. Certains commençaient à partir. Lors de mon arrivée dans la troupe, j'avais assisté à une prise de bec au sujet des salaires, justement. Georges Groulx, qui était un ancien et pouvait se le permettre, disait au père Legault : « Écoutez, c'est facile pour vous. Vous avez besoin d'une paire de claques ou d'un foulard, vous allez voir l'économe de la communauté et il vous donne l'argent pour vous en acheter. Vous nous donnez rien. » En 1947, nous avons reçu nos premiers cachets réguliers : les gars gagnaient mille cinq cents dollars par année, et les filles… mille! Même si nous étions nourris et logés, ce n'était pas beaucoup. Les femmes se chargeaient des costumes, du lavage, du repassage, de la couture. Les gars s'occupaient des décors. Lucille Cousineau s'était inquiétée de cette différence de salaire et, pour se justifier, le père Legault lui avait dit : « Vous êtes invitées quand vous sortez avec les gars… et puis, vous ne fumez pas. — Quand on sort avec les Compagnons, chacun paie son écot. Puis je vous demande pardon, mais moi, je fume. — Eh bien! tu ne devrais pas… » C'était un peu surréaliste, mais c'est dire que ça commençait à tirer dans les coins.

Comme l'administration, la vie quotidienne à Vaudreuil se déroulait sans façon, sans cérémonie. Rien de fixe ni d'enrégimenté. Les Compagnons n'étaient quand même pas cette équipe de faux moines que d'aucuns ont laissé entendre. Évidemment, le père Legault était un prêtre, il avait la foi et la mettait en pratique. On ne va pas lui reprocher ça. Il ne nous a pas trop accablés avec tout ça. Quand nous nous sommes installés à Vaudreuil, les petites maisonnettes sur le terrain n'étaient pas encore distribuées, et tout le monde s'arrangeait comme il le pouvait dans la grande maison centrale. Il y avait un étage entier de chambres sur lequel nous étions tous dispersés. Le père Legault n'avait pas encore sa chapelle, aménagée plus tard dans la grange d'à côté. Dans le couloir, en haut, il avait repéré une rotonde vitrée dans laquelle il célébrait sa messe quotidienne. Un matin, il nous a dit : « Écoutez, je veux bien que vous n'assistiez pas à ma messe, mais essayez de ne pas trop ronfler. C'est tout ce que j'entends. » Nous avons tous rigolé, mais nous avons bien compris que c'était une invitation à y assister. Il aurait probablement remarqué notre absence à la messe dominicale, mais, autrement, il était plutôt ouvert et compréhensif et ne nous achalait pas trop avec ses pratiques.

La compagnie n'était pas non plus un milieu de dévergondage. Il y avait tout de même une certaine liberté, une liberté contrôlée, si on veut. Des mères consentaient à laisser leurs filles jouer avec la troupe, en partie parce que le directeur était un prêtre. Le métier de comédienne n'était pas encore bien vu au Québec dans les années 1940. Au théâtre, il y a toujours une espèce de promiscuité. Dans une compagnie, on voyage ensemble, on travaille ensemble constamment et à des heures indues, des parties de nuit parfois. À l'époque, on y retrouvait une liberté de parole et de fréquentation qui n'existait pas beaucoup ailleurs. C'était un milieu ouvert, franc, direct, où on retrouvait une certaine liberté d'expression.

En général, il y avait répétition le matin, de neuf heures trente à midi, de même que l'après-midi. Nous partions en fin de journée pour aller jouer à Montréal. Le père Legault n'aimait pas répéter. Il nous disait d'apprendre nos textes et disparaissait souvent pendant les répétitions. Lorsque nous nous adressions à lui pour obtenir son opinion, il n'y était déjà plus. Il a même disparu au beau milieu de mon mariage alors qu'il assistait le célébrant, Mᵍᴿ Guy. J'avais rencontré ma femme, Denise Vachon, chez les Compagnons, et le père Legault avait organisé la réception de mariage dans l'église presbytérienne « convertie » au théâtre, angle Sherbrooke et De Lorimier. Se rappelant tout à coup qu'il avait oublié de louer un piano pour un spectacle des Compagnons de la chanson qui devait avoir lieu en soirée à notre nouveau théâtre, le père Legault a quitté la cérémonie en plein milieu. Tout à fait lui, ça !

À Vaudreuil, l'horaire de travail était organisé au jour le jour. S'il y avait eu un pépin la veille, nous revoyions telle chose ou telle autre. C'était encore du théâtre de collège, d'étudiants. Cependant, le fait de vivre tous ensemble, d'avoir à peu près le même âge et le même amour du métier, procurait une cohésion et une homogénéité certaines à la troupe. Pour les rôles de vieillards, nous nous maquillions, nous n'allions pas chercher de vieux comédiens. C'était une école de formation formidable pour tous ceux et toutes celles qui se sentaient habités par le métier et faits pour cette vie-là. Même le choix du répertoire se faisait souvent lors de discussions au petit déjeuner, à partir de lectures que nous faisions. Nous lisions beaucoup. Les pères Houle et Cordeau de la communauté des pères de Sainte-Croix étaient des érudits et possédaient des bibliothèques bien garnies. Souvent, nous nous posions des questions, et le père Legault disait : « Va dans ma bibliothèque, va fouiller un peu dans tel ou tel auteur, tu vas les trouver tes réponses. C'est là-dedans. » C'était formidable pour des jeunes. Il ne nous mâchait pas le boulot, mais nous indiquait où trouver les réponses. Nous prenions les repas en groupe tous les jours. Quand on n'a pas un sou, on est bien content de savoir où manger ! Coutu et Leclerc mangeaient chez eux avec leur famille, mais pour les célibataires, ces repas en commun étaient d'un enrichissement extraordinaire. Legault orientait le débat et nous nous mettions à discuter de répertoire. Ça n'en finissait plus. Il y avait toujours du nouveau à découvrir.

Une grande amitié nous unissait. Les fins de semaine et les soirs de congé, nous nous rassemblions souvent dans le grand salon de Félix devant le foyer. Il sortait sa guitare et nous chantait ses compositions. Nous passions de belles soirées à chanter en chœur. C'est comme ça qu'Yves Vien, beau-frère de Félix, est devenu l'un des nôtres avant de se joindre à la troupe comme administrateur. Il a épousé Thérèse Cadorette en 1948. Cela faisait longtemps que nous suggérions au père Legault de mettre de l'ordre dans l'administration. Et le père Legault, à qui rien ne résistait, l'a recruté, lui, major dans l'armée canadienne, avocat à Ottawa, boursier du gouvernement français, pour devenir l'administrateur des Compagnons. C'est dire son pouvoir de persuasion.

Dans la troupe, tout se faisait en équipe. Dans ce sens, c'était un peu ce que j'avais connu avec mon père. J'étais habitué à cette routine. En plus de jouer, il fallait aussi monter et démonter les décors. Je me souviens des journées où nous jouions *Andromaque* en matinée et *Antigone* en soirée. J'avais deux rôles importants : Oreste en matinée et Créon en soirée. Il fallait le culot de la jeunesse pour s'envoyer ça! À vingt ans, il n'y a rien à notre épreuve. C'est formidable et, en même temps, ça vaut ce que ça vaut. En prenant de l'âge, on se rend compte de nos déficiences, on devient plus conscient et on se risque moins. Heureusement... ou tant pis!

Entre les deux représentations, il fallait démonter les décors de la première pièce pour les remplacer par ceux de l'autre. Une bouchée sur le pouce et nous enchaînions avec le deuxième spectacle, avec de l'aide, bien sûr. Notre fermier, Georges Campeau, qui s'occupait du domaine de Vaudreuil le jour, venait le soir en coulisses pour tirer le rideau et aider Jean Choquet, le régisseur de la troupe. Nous avions une costumière attitrée, mais, à l'occasion, les filles de la troupe proposaient aussi des idées de costumes. L'adaptation a été plus difficile pour un gars comme Jean Coutu qui avait fait quelques infidélités aux Compagnons et était allé jouer avec l'Équipe de Dagenais. C'était un superbe jeune premier et un acteur de composition assez remarquable. Il participait aussi, avec Groulx et Garand, à l'émission *Radio-Carabins*. Ils avaient une certaine notoriété et commençaient à être connus du public, ce qui ne plaisait pas beaucoup au père Legault.

Tout ça atténuait un peu la fameuse règle de l'anonymat. Le père Legault craignait que ça ne finisse par rompre la cohésion d'une équipe qu'il voulait unie, égalitaire. Encore une fois, Jean Despréz, qui écrivait sur nous des articles éclairés et éclairants, a dénoncé avec virulence cette coutume en soulignant que le public aimait bien mettre des noms sur les figures. À force de se montrer, les gens finissent par nous reconnaître ! À partir de ce moment, elle a commencé à nommer les acteurs, et les critiques, qui jusque-là avaient respecté la consigne de l'anonymat, se sont mis à en faire autant. Moi-même, lorsque je suis parti tourner *Un homme et son péché* avec Québec Productions en 1948, c'était quasiment un adieu aux Compagnons. Tout à coup, j'étais propulsé en plein écran avec mon nom partout en grosses lettres sur les affiches. Cela ne correspondait plus du tout à la vision du père Legault et de la compagnie anonyme.

La vie commune n'était pas facile tous les jours. Vivre comme ça les uns sur les autres comportait des inconvénients. D'autant plus que l'aller-retour presque quotidien à Montréal était pénible. Nous mettions quelquefois des heures à rentrer après le spectacle. Quand nous étions en tournée, il n'y avait pas de problème, mais quand nous jouions en ville, c'était autre chose. L'hiver, nous transportions nos raquettes et nos skis. Nous laissions souvent la vieille ambulance de l'armée que le père Legault avait achetée, au village de Vaudreuil, près du magasin général, et quand le temps était à la poudrerie, nous chaussions nos raquettes ou nos skis pour rentrer à pied sur l'anse gelée. Après un an et demi, nous en avons eu assez et la troupe est rentrée en ville.

Nous faisions beaucoup de tournées avec les Compagnons. Nous n'étions pas les seuls, c'était un peu la coutume à l'époque.

Jean Duceppe a commencé comme ça, en faisant des tournées avec Henri Deyglun. Nous avions énormément de succès. C'était la belle époque des curés qui faisaient la pluie et le beau temps dans les paroisses en incitant les gens à venir aux représentations comme s'il s'agissait de devoirs de paroissiens. C'était, en général, un public qui connaissait le théâtre par la radio et qui était beaucoup plus familier avec Séraphin et Donalda qu'avec Molière ou Anouilh. La plupart du temps, nous lui révélions des choses.

Il nous est arrivé de jouer en plein air devant des milliers de personnes. Nous allions partout au Québec : à Sainte-Anne-de-la-Pocatière, à Chicoutimi, à Québec, à Sherbrooke, en Gaspésie, et même en Nouvelle-Angleterre ; et nous jouions partout où c'était possible : dans les écoles, les églises, parfois même derrière la balustrade, dans le chœur. Nous avons présenté à plusieurs reprises *Le Chant du berceau* et *Le Noël sur la place*, de vieux succès. Les gens se déplaçaient pour nous voir. Mais avant qu'on ait gagné des prix ici et là, dans les festivals d'art dramatique, les gens du milieu ne nous prenaient pas tout à fait au sérieux, surtout avec un prêtre à la direction !

En 1947, la compagnie a gagné le trophée Bessborough au Festival national d'art dramatique avec *Le Médecin malgré lui*. C'était la première fois qu'une troupe montréalaise remportait ce trophée. Profitant de cette notoriété subite, mon père nous a organisé une tournée dans la Gatineau. Nous avons fait Blue Sea Lake, Gracefield, Messines, tous ces coins-là. À Maniwaki, nous avons joué devant des Autochtones un peu étonnés par Molière et nos costumes d'époque. Avant de partir, le père Legault nous avait fait la morale concernant le fait que certains d'entre nous avaient découvert le vin et se permettaient un petit verre de temps en temps. Il nous avait demandé d'observer, autant que possible, une grande sobriété durant la tournée. Mon père, ignorant ce conseil, avait quand même offert du vin aux gens de la troupe. Le père Legault avait beau avoir un certain contrôle sur nous, nos soirées chez Félix étaient tout de même arrosées.

« *The Strangest Actors in the World* »

Nous avons fait un mémorable voyage à Boston, qui nous a valu un article dans la presse américaine intitulé « *The Strangest Actors in the World* ». C'était en 1946. Nous avions été invités à donner une représentation de Molière, *Les Précieuses ridicules* et *Le Médecin malgré lui*, au New England Mutual Hall, sous le haut patronage du consul de France. Du coup, le père Legault avait dépêché sur les lieux Francis Coleman, un musicologue réputé de Radio-Canada, un type très distingué de Westmount. Il était parti en éclaireur préparer notre arrivée. La troupe a quitté Vaudreuil très tôt le matin, sous la neige. Félix Leclerc avait accepté de remplacer un comédien et jouait le rôle d'un paysan dans *Le Médecin malgré lui*. Il nous faisait bien rire aux répétitions, il était pince-sans-rire, drôle comme c'est pas possible.

Ce jour-là, en quittant la Centrale, nous sommes passés devant la maison de Félix sans l'embarquer. Nous n'avions pas l'habitude de l'avoir avec nous. Nous filions sur la route et ce n'est qu'un peu plus tard que le père Legault s'est écrié : « Il nous manque un comédien, il faut retourner. » Aussitôt dit, aussitôt fait. Félix, lui, s'était recouché. En nous voyant, il a dit : « Je vous ai ben vu passer, sans vous arrêter. Je me suis dit : "Ils ne me trouvent pas assez bon, ils ne me veulent plus." Je suis retourné me coucher. » Heureusement, il n'avait pas défait sa valise. Nous sommes repartis. Il fallait passer par Montréal pour aller chercher un jeune acteur récemment embauché dans la troupe. Nous étions déjà tous installés sur les civières de l'ambulance et il ne restait plus de place. Il a demandé : « Où je m'assois ? — Prends le tas de programmes dans le coin et assis-toi là », a dit Félix. Tout timide, il ne connaissait personne, et n'osant répliquer, il est resté assis sur le tas de programmes durant tout le voyage. Une longue route. Il fallait traverser le Vermont avec l'ambulance, à trente ou quarante milles à l'heure... Interminable. Le temps passait, nous nous nourrissions comme nous le pouvions de coca-cola et de hot dogs, pour ne pas nous arrêter. Nous sommes arrivés là-bas dans un état lamentable.

Entre-temps, Francis Coleman avait organisé une réception, en notre honneur, au Fine Arts Museum. Le maire et ses invités nous attendaient. La salle était tout illuminée ; Coleman était en tuxedo ; les femmes, en robe du soir. À Boston, la température était clémente. C'était presque l'été. Comme nous étions en retard, nous nous sommes rendus à la réception sans passer par l'hôtel pour faire un brin de toilette. Arrivés enfin devant le tapis rouge, les portes de l'ambulance se sont ouvertes et la troupe est descendue… les tuques de travers, les mitaines, les foulards de tous bords, tous côtés, couverts de moutarde et de ketchup… Une bande de romanichels arrivant du Groenland n'aurait pas fait plus d'effet ! Les gens étaient ahuris. Comme nous étions affamés, nous nous sommes précipités au buffet et avons dévoré tout ce qui s'y trouvait. Coleman était complètement sidéré, il ne savait plus quoi faire. Le lendemain, la presse titrait : « *The Strangest Actors in the World* ». Les Bostonnais n'avaient jamais vu ça.

En arrivant au théâtre, le père Legault a aperçu, sur la scène, un canapé moderne qui ne cadrait pas du tout avec *Les Précieuses ridicules*. Il nous a demandé, à Félix et à moi, d'aller chercher la civière dans l'ambulance pour la recouvrir d'un bout de tissu et s'en servir comme fauteuil. Il fallait entrer la civière par la salle du théâtre. Félix tenait un bout, moi, l'autre. Nous descendions l'allée avec la civière, tous deux à moitié vêtus de costumes d'époque, la perruque sur la tête. Soudain, de la résistance. Le bout en bois de la civière avait accroché la cornette d'une sœur assise sur le bord de l'allée. Félix s'est précipité sur elle en s'excusant et essayait de replacer la cornette d'aplomb, mais la religieuse préférait s'arranger seule. Nous avons finalement joué et avec succès, ma foi ! Une réception suivait la représentation, nous nous sommes empiffrés de nouveau avant de regagner nos chambres.

Je partageais une chambre avec Félix par souci d'économie. Notre jeune acteur était dans celle d'à côté. Au moment d'entrer dans nos appartements, il nous a demandé timidement : « Excusez-moi messieurs, j'ai une question à vous poser. » Félix était impayable dans ces moments-là : « Ouais, vas-y, gêne-toi pas. — Est-ce que les tournées des Compagnons sont toujours comme ça ? — Jamais de la vie ! Là, c'est bien organisé. T'aurais dû voir ça l'an dernier. C'était pas possible, pas possible. Là, ça a de l'allure, on voyage comme des professionnels, comme des vedettes de théâtre. » Le jeune comédien est rentré dans sa chambre sans demander son reste. Le lendemain, il a dit au père Legault que ce genre de vie ne lui convenait pas du tout. Félix racontait souvent cette anecdote, en plus long et en plus drôle. Toutes les tournées des Compagnons ne se passaient pas comme ça, mais il se produisait souvent des faits cocasses, car le père Legault avait le don de se mettre les pieds dans les plats. Il était tellement distrait.

J'ai gardé de cette époque des amitiés solides même s'il n'en reste pas beaucoup de l'équipe du début : Georges Groulx, Jean Gascon, Félix Leclerc, ma femme Denise, le père Legault ne sont plus là… L'expérience des Compagnons m'a mis au monde en me faisant découvrir tout un univers de lectures, de formation. En arrivant à Montréal, j'étais fermement décidé à faire du théâtre et j'aurais été extrêmement déçu si j'avais dû abandonner le théâtre professionnel. J'aurais sûrement continué dans le théâtre amateur, comme mon père, j'aimais tellement ce métier.

Les Compagnons ont grandement contribué à faire découvrir au public un répertoire classique et poétique. Ils jouaient déjà en matinée, au Gesù, pour les étudiants, quand je suis arrivé dans la troupe. Le public s'est habitué petit à petit au répertoire classique. On l'a initié et il a suivi. D'ailleurs, je pense qu'il y a une filiation directe avec le TNM qui a présenté en premier spectacle, en 1951, *L'Avare* de Molière. Ce public connaissait Gascon, Groulx et Roux depuis les Compagnons. Dans ce sens, les Compagnons ont accompli un travail phénoménal. C'était un peu une troupe de transition entre le théâtre amateur et le théâtre professionnel.

Il est vrai que la compagnie est longtemps restée médiocre et que le principal rôle du père Legault a surtout été d'être un rassembleur de jeunes et l'initiateur d'un théâtre lyrique et poétique, à l'encontre de ce qui se faisait à l'Arcade, genre de théâtre de boulevard, un peu à ras de terre. Là où Legault errait, c'est quand il nous interdisait de nous alimenter à l'Arcade, où se trouvaient des comédiens talentueux. C'était presque le seul théâtre à Montréal, en dehors de nous. Il fallait bien y aller si nous voulions voir autre chose! C'est là que j'ai rencontré Jean Duceppe et je l'ai amené à Vaudreuil. Mais le père Legault l'a fait peinturer pendant un été, et Jean s'est découragé d'attendre. Il est parti. Plus tard, le père Legault a fini par aller y recruter des comédiennes, des jeunes surtout, comme Huguette Oligny, Gisèle Schmidt et Denise Pelletier.

Dans le fond, Pierre Dagenais, directeur de l'Équipe, avait plus de talent que le père Legault comme metteur en scène, mais la troupe des Compagnons a tenu le coup et a gagné des prix ici et là dans les festivals où les jurys, n'étant pas particulièrement sensibles au fait que Legault était un prêtre, jugeaient le travail accompli. Après la fin de l'aventure des Compagnons, le père Legault ne s'est jamais remis au théâtre, mais il a écrit, et fait de la radio. Je pense qu'il savait très bien que sa troupe n'était pas permanente. C'était un théâtre de collégiens et d'amateurs. Legault n'avait pas l'envergure d'un grand metteur en scène et devait bien s'en rendre compte. Il aimait bien ce petit côté improvisé et, plutôt que de devenir professionnel, il aurait probablement recommencé l'aventure à zéro. Il ne faut pas oublier que presque toute une génération d'acteurs est passée par là, de Paul Dupuis à Gilles Pelletier!

Alexis ou le Cinéma

En 1948, j'ai été recruté pour jouer dans le film *Un homme et son péché*, de Claude-Henri Grignon. D'abord roman, l'œuvre de Grignon a connu une diffusion plus étendue grâce à la radio, au cinéma, puis à la télévision, plus tard, sous le titre *Les Belles Histoires des pays d'en haut*. Je jouais le rôle d'Alexis. D'avoir été choisi était déjà une belle revanche sur les autres jeunes comédiens de mon âge qui œuvraient dans le théâtre soi-disant professionnel et qui nous qualifiaient, nous les Compagnons, d'amateurs quand ce n'était pas de faux moines. Il y a eu, bien sûr, toute une série d'essais. Une expérience énervante et éprouvante. Au début, nous étions une dizaine et à la fin, il ne restait que Jean-Pierre Masson et moi. Quand j'ai appris par la bouche du metteur en scène, Paul Gury, que j'avais dégoté le rôle, j'étais particulièrement heureux de ce gain inespéré, car je songeais à épouser Denise Vachon et à mon tour, partir étudier en Europe, comme Gascon, Groulx et Roux.

Le tournage a duré deux mois. C'était tout à fait nouveau comme expérience. Une aventure formidable. Le cinéma était un jouet différent et fascinant. Dans un sens, il fallait réapprendre à jouer. Ça paraissait plus facile parce qu'il était possible de recommencer les scènes ratées ; mais encore fallait-il que le metteur en scène sache où il allait, car nous, les acteurs, n'ayant aucune idée si nous étions bons ou mauvais, ne décidions jamais de reprendre les scènes. C'était un autre univers. Là, c'était vraiment le monde du vedettariat. Les journalistes nous couraient après, nos photos circulaient partout.

Nous nous rendions à l'Union des artistes à quatre ou cinq heures du matin et, de là, les producteurs nous emmenaient en limousine sur les lieux de tournage à Saint-Hyacinthe. Ils avaient des budgets autres que ceux des Compagnons ! Nous tournions toute la journée et on nous ramenait le soir. Un jeu, une partie de plaisir. Nous découvrions ce monde. C'était la première fois que j'avais à interpréter un rôle aussi « quotidien ». La difficulté était de trouver une espèce de naturel, de quotidienneté dans le ton, dans les attitudes, dans tout ! Il ne faut pas jouer au cinéma, il faut être tel que l'on est. C'était ça le plus difficile, parce qu'au théâtre, à l'époque encore plus que maintenant, on jouait forcément. Le cinéma et l'école américaine de l'Actor's Studio de Strasberg ont eu une influence certaine sur le théâtre en ce sens : *What is my motivation ?* Fallait-il être le personnage ou le jouer ? Il faut en prendre et en laisser dans toutes ces théories, mais le théâtre n'a plus jamais été le même depuis l'avènement de cette nouvelle approche.

Le métier de comédien, c'est le mensonge. Nous sommes des menteurs. Les Grecs ne nous appelaient-ils pas « hypocrites » ? Le métier, c'est de faire semblant. Mais il faut faire attention de ne pas se mentir à soi-même. C'est facile de tomber dans la fabulation, lorsque l'on vit toujours dans l'illusion et dans l'imaginaire en se demandant ce qui est vrai et ce qui ne l'est pas. Il y a parmi nous des mythomanes presque dangereux. C'est la déformation du métier. Dans notre jargon, on a l'habitude de distinguer un acteur d'un comédien. On dit que l'acteur impose sa personnalité et reste toujours le même à travers différents personnages, tandis que le comédien, autant que possible, va oublier sa personnalité pour devenir le personnage. En ce sens, un comédien est quelqu'un qui peut se transformer, quelqu'un de malléable. L'acteur type, on le retrouve davantage au cinéma qu'au théâtre.

Contrairement à ce que les gens pensent, il est parfois plus facile de jouer des textes qui paraissent difficiles. Par exemple, les alexandrins… c'est relativement facile les alexandrins. Les douze pieds établissent un rythme. C'est plus aisé à mémoriser qu'un texte quotidien pour un téléroman. Il n'y a rien de plus difficile que de faire vrai et naturel. On est porté à en faire trop, à jouer, à « acter ». Faire vrai et naturel, c'est ne rien faire en réalité. Et ne rien faire, c'est plus difficile. Si vous jouez un grand rôle, mettons Richard II de Shakespeare, vous êtes porté, habité par le personnage, vous êtes inspiré par le texte. C'est parfois plus facile que de jouer un personnage de *Un homme et son péché* où il faut être vrai avec un texte tout à fait quotidien, bien ordinaire, avec des mots de tous les jours. Les spectateurs sont parfois impressionnés par le personnage et ils transposent cette émotion sur l'acteur.

Comme dans toutes les familles québécoises de l'époque, j'avais écouté, à la radio, les épisodes de *Un homme et son péché*. Je connaissais ces gens qui créent un imaginaire extraordinaire et qui deviennent des idoles et des mythes ; mais le fait de me retrouver dans la peau de l'un d'eux était assez inouï. J'étais familier avec le personnage d'Alexis incarné par Albert Duquesne à la radio. Et je crois me souvenir que M. Grignon nous avait demandé de ne pas trop nous éloigner de l'image projetée par la radio. Il était très satisfait de ce qui se faisait à la radio et ne voulait pas décevoir le public ni le surprendre par une interprétation trop différente. Les journalistes ont fait des comparaisons. Encore aujourd'hui, ce personnage d'Alexis me colle à la peau, d'autant plus que j'ai repris le rôle à la télévision plus tard.

👺👺

Jean Despréz, dans une critique du film, avait eu le malheur de me comparer à John Gilbert, un jeune acteur américain très populaire. Cela avait fait rêver mon père qui aurait bien aimé que je m'intéresse à Hollywood et, surtout, qu'Hollywood s'intéresse à moi! Il avait vu Paul L'Anglais, directeur de Québec Productions, et lui avait manifesté son intérêt. L'Anglais m'avait alors proposé de rencontrer un « scout » américain prêt à me piloter dans le milieu du cinéma américain et à voir où ça pourrait mener. Nous avions l'exemple de Suzanne Cloutier, d'Ottawa, qui amorçait une carrière cinématographique aux États-Unis et en Europe. Mais je n'avais qu'un désir : celui de connaître la France. Je voulais apprendre mon métier à Paris et, si possible, y jouer. J'y tenais. Je ne pensais qu'à partir. Je voulais y arriver, gagner ce défi-là. J'avais un amour fou de la France et du théâtre français que m'avaient transmis mes parents et mes grands-parents. On m'avait même proposé de mettre la bourse que je venais d'obtenir en fiducie, pour tenter ma chance à Hollywood; mais je ne pensais qu'à Paris. Je n'ai jamais regretté Hollywood et le cinéma américain. Réussir à Hollywood aurait été extrêmement dangereux pour moi : j'étais trop jeune, trop inexpérimenté, instable. J'aurais bien pu m'y perdre. Ne pas réussir m'aurait sans doute complètement détruit. Dans les deux cas, le résultat aurait été mauvais.

La bourse de Duplessis, un cadeau du ciel

En 1948, j'ai remporté le prix d'interprétation masculine avec le rôle de Créon dans *Antigone* lors de la demi-finale du Festival national d'art dramatique à Montréal. Cette année-là, les Compagnons ont été éliminés en finale, à Ottawa, en raison de coupures inopportunes dans le texte, attribuées au jansénisme du père Legault par le juge Robert Speaight. Nous croyions plutôt que, sous la pression des autres troupes qui regroupaient vraiment des amateurs, notre statut de semi-professionnels — puisque nous en vivions, même mal — nous avait desservis. Et le fait qu'une troupe d'expression française gagne une deuxième année de suite, dans la capitale fédérale, ne pouvait que déplaire aux troupes d'expression anglaise qui étaient en lice avec nous. Alternance oblige !

Mon père a profité de mon succès pour suggérer délicatement à son ami le juge Alexandre Taché que je pourrais éventuellement poursuivre des études en France. Député de l'Union nationale dans le comté de Hull, Taché est intervenu auprès du gouvernement Duplessis pour m'aider à obtenir une bourse de mille dollars par année, la deuxième offerte depuis celle attribuée à Jacques Auger à la fin des années 1920. Pour l'époque, il s'agissait d'un montant substantiel. Nous n'étions pas riches, mais c'était une somme plus importante que celles reçues du gouvernement français par Groulx et Gascon, qui s'élevaient à six cents dollars chacune. Quand on considère que la France sortait de cinq années d'Occupation, c'était tout de même à son honneur. Nous nous sommes débrouillés pour vivre avec cela, il le fallait bien. C'est ce qui m'a permis, au début de mon séjour, d'inviter les copains chez moi parce qu'en principe, j'étais le plus riche. C'était une bourse d'un an qui a été renouvelée deux fois. J'en ai donc profité pendant trois ans. C'était inusité, prestigieux, et ça m'arrangeait drôlement parce que je n'aurais pas pu le faire par mes propres moyens.

À l'époque, c'était quasiment primordial d'aller étudier à Paris. Ici, il n'y avait pas d'école d'art dramatique. Le Conservatoire Lassalle était davantage une école d'art oratoire, de diction et de maintien, qui n'avait rien à voir avec le Conservatoire de Paris et tout le réseau d'écoles établies en France. À Montréal, nous avions des professeurs privés. J'ai travaillé avec François Rozet et Marcel

Chabrier, des Français. Il y avait aussi Mme Jeanne Maubourg et Mme Jean-Louis Audet, mais pas d'école établie avec tout un système d'éducation enseignant aussi bien la pose de voix que la danse, la diction, l'escrime, l'histoire du théâtre et de la littérature. Qui voulait faire du théâtre, devait le faire à la française, même ici. Alors, il fallait absolument se départir de nos accents québécois, apprendre le répertoire et un tas de trucs techniques.

Il n'y avait pas non plus cette notion de théâtre québécois. Absolument pas. Il n'y avait de bon théâtre que de Paris et qu'à la française, que les pièces du répertoire français. Il ne faut pas oublier que dans les années 1940, il n'y avait pratiquement pas d'auteurs à part les revues de Fridolin, les *Fridolinades,* qui apparaissaient comme… des revues, justement. Il y avait bien eu quelques tentatives éparses et isolées, entre autres celles de Jean Despréz à Ottawa, mais cela restait marginal. Pour faire carrière, il fallait passer par Paris. On était dans le prolongement de cette civilisation-là. Dans ces circonstances, la bourse s'est révélée un cadeau du ciel.

Avant de quitter le Canada, les gens du milieu théâtral de Hull nous ont organisé une soirée d'adieu à l'École technique. À cette occasion, le juge Taché m'a remis symboliquement la bourse pendant que Jean Despréz prononçait une allocution de circonstance. De son côté, Denise avait obtenu une petite bourse offerte par la Société des concerts Brading d'Ottawa. Nous avons présenté des extraits d'*Antigone*, avec notre camarade Thérèse Cadorette. Mariés le 28 décembre 1948, Denise et moi sommes partis pour la France quelques jours plus tard, à bord du *De Grasse,* rejoignant nos bons amis Georges Groulx et Lucille Cousineau qui étaient installés à Paris depuis septembre. Pour compenser les restrictions encore en vigueur dans la France de l'après-guerre, ma mère nous avait rempli une malle comble de café, de beurre et de sucre dissimulés dans des boîtes de thé et de café hermétiquement scellées par M. Van Houtte. Les douaniers, à qui nous avons expliqué notre condition d'étudiant, nous ont laissés passer avec tout ça. J'avais suffisamment de victuailles pour ouvrir un dépanneur… ce qui me rendait très populaire auprès de mes amis canadiens et, surtout, auprès de ma concierge française qui manquait de tout.

Dans mon esprit, il n'était pas question de retour. J'allais là-bas pour me former et, si possible, travailler. Je voulais connaître non seulement des professeurs, mais aussi des metteurs en scène et des directeurs de troupes. J'étais prêt à tout tenter pour en vivre.

Chapitre III

Paris et la province

Prise 1 : Le choc culturel

J'AI REÇU Paris comme un coup de poing au plexus. J'étais passablement secoué. Durant le mois suivant notre arrivée, Denise et moi passions tout notre temps au théâtre avec nos amis Georges Groulx et Lucille Cousineau. Tous les soirs, nous y étions. Nous voyions des acteurs prodigieux sur scène, comme Pierre Brasseur et Pierre Fresnay, et nous nous disions : « Qu'est-ce qu'on a à vouloir faire les histrions à notre tour ? Ces gens-là, jamais on ne leur arrivera à la cheville. » C'était un peu décourageant de voir la qualité de ce qui s'y produisait par rapport à la situation du théâtre au Québec.

Ces premières ondes de choc n'ont pas duré longtemps, mais elles m'ont bouleversé. Je me suis ressaisi, Georges et nos compagnes aussi. Il fallait s'y mettre. C'était un défi formidable. Nous étions un peu comme les Suisses et les Belges de l'époque qui ne visaient que Paris. Nous nous prolongions dans la civilisation française comme aujourd'hui, nos braves acteurs canadiens de langue anglaise qui, dès qu'ils ont un peu de succès à Toronto, ne visent que New York, Hollywood ou Londres. Les acteurs parisiens que nous voyions sur scène nous paraissaient presque des rivaux. Ils provoquaient chez nous un genre d'émulation.

Une fois le premier choc passé, je me suis adapté à Paris d'une façon un peu exceptionnelle. Très vite, au bout de deux ou trois mois, je m'y suis senti à l'aise. Je m'étais préparé : j'avais beaucoup lu, je connaissais tous les quartiers de Paris et je m'y retrouvais bien. Avant mon départ, Jean Despréz m'avait initié à la France en ces termes : « Les Français, c'est simple et compliqué en même temps. Tu parles aussi vite qu'eux, si possible plus vite, et tu ne leur donnes pas la chance d'en placer une. Il faut que tu aies la réplique facile, toc, toc, toc et tu fonces. Comme ça, tu réussis à avoir une conversation, autrement, tu ne parles pas et tu t'écrases… Avec les Parisiens, ne sois pas trop gentil. Ils ont tendance à confondre gentillesse et malhonnêteté… » J'ai suivi ce conseil et cela m'a réussi. Mon adaptation à Paris était totale. Je me sentais parfaitement à l'aise.

Avant mon départ, j'avais aussi eu l'occasion de rencontrer Fernandel chez Jean Despréz. Dans le Trio des Quatre qui l'accompagnait, se trouvait Pierre Leconte, un ami de Denis d'Inès qui était professeur au Conservatoire de Paris. Leconte m'avait recommandé de le contacter à mon arrivée à Paris, histoire de me faciliter un peu les choses vu que j'arrivais en pleine saison. Au Conservatoire, les auditions se passaient en septembre et en octobre, non en janvier. De plus, c'étaient les professeurs qui choisissaient leurs élèves au terme des auditions et non l'inverse.

Denis d'Inès était l'un des grands acteurs comiques de la Comédie-Française. Il en était le doyen craint et respecté. Je l'ai donc contacté et, après l'audition, il m'a accepté dans sa classe un peu pour plaire à son ami et en me faisant bien sentir qu'il m'accordait une grande faveur. Je crois bien que je devais aussi ce privilège à ma bourse obtenue du gouvernement du Québec. J'ai donc assisté aux cours en tant qu'auditeur libre. Au bout de quelque temps, je me suis rendu compte que je n'aimais pas beaucoup sa façon d'enseigner. Il paraît que j'avais tort — il était un des meilleurs professeurs de Paris —, mais il avait tendance à n'enseigner que des rôles comiques, et je ne me sentais pas particulièrement à l'aise dans ce répertoire. Entre-temps, j'avais rencontré Lucienne Letondal qui était dans la classe d'Henri Rollan, lui aussi de la Comédie-Française. Elle m'en avait dit le plus grand bien et m'avait convaincu de changer de classe. Ce n'était pas facile. On ne quittait pas comme ça un professeur pour un autre, au Conservatoire. Mais j'avais un drôle de culot. J'étais jeune, inconscient, et quand je voulais quelque chose, je fonçais.

Je me suis donc permis d'aller voir le directeur du Conservatoire, M. Paul Abram, qui m'a regardé comme un phénomène. Sa porte était ouverte aux étudiants, mais il ne fallait pas y aller pour des bagatelles. « Mais mon cher ami, vous rendez-vous compte de ce que vous me demandez ? » Je ne me rendais pas compte. « D'abord, ce sont les professeurs qui choisissent leurs étudiants et, de plus, on ne change pas de classe comme ça en cours de route. C'est très vexant pour votre professeur actuel. Vous êtes étranger, je comprends ça, vous n'êtes pas très au courant... » Mais il m'avait quand même considéré comme un hurluberlu. Comme je venais de l'Amérique, selon ses propres paroles, il avait finalement conclu : « Si M. Rollan consent à vous accepter dans sa classe, je n'y vois pas d'inconvénient. Voyez ça avec lui et débrouillez-vous mon vieux. Je n'interviens pas là-dedans. » C'était tout ce que je souhaitais, car je savais que Rollan était prêt à me recevoir.

J'ai donc déménagé mes pénates dans la classe de Rollan, toujours comme auditeur libre. C'était embêtant comme statut parce qu'on ne pouvait pas passer de concours, alors cela ne menait nulle part. Je grappillais ce que je pouvais. Je voulais tout apprendre. J'étais là, tout ouïe, tout oreille, prenant des notes, parce qu'il était un superbe professeur. Il avait une diction un peu trop prononcée, mais, étant donné mon accent, c'était le professeur qu'il me fallait. Il m'avait refilé un truc que je n'ai jamais oublié. J'avais passé un bout de scène de *Polyeucte*, dans le rôle de Sévère, et il m'avait dit : « Ce n'est pas une raison, même si M. Corneille est Normand, de rouler les *r* comme vous le faites. Écoutez… les *r*, oubliez-les. Faites comme s'il n'y en avait pas. — Mais ils sont là ! — Ne vous en faites pas, ils seront toujours là, on les entendra toujours assez. » J'ai travaillé dans ce sens.

Je n'avais pas un statut régulier et cela m'ennuyait. Je trouvais que je ne travaillais pas assez et je m'en étais plaint à Rollan qui m'avait alors recommandé un de ses anciens élèves en qui il avait une confiance totale. Il s'agissait de Bernard Bimont et de son cours d'art dramatique « Pelouze », sur l'avenue Pelouze. C'était effectivement un excellent professeur. Nous nous y sommes retrouvés, Denise et moi, avec Georges Groulx et Lucille Cousineau. À partir de ce moment, nous avons travaillé d'une façon plus suivie, ardue, tous les jours. Comme nous voulions jouer et non seulement apprendre, Bimont nous a intégrés à sa petite compagnie. C'est là que j'ai connu Jean Faucher, l'assistant de Bimont, et sa femme, Françoise.

Prise 2 : Jouer dans les troupes françaises

Depuis notre arrivée, nous ne perdions pas de temps. Être boursier ne voulait pas dire être en vacances perpétuelles. Pendant ces premières années, nous travaillions énormément et sans relâche. S'imposer dans ce milieu exigeait un travail de tous les instants. Nous avions constamment des projets, rencontrions des gens, passions des auditions, suivions des cours. Et en plus, nous répétions entre nous, avec Georges et Lucille. Tout ça remplissait bien nos journées. Sans compter que, passer une audition, c'était jouer sa vie chaque fois. Plusieurs projets n'aboutissaient jamais et alors tout était à recommencer. Par exemple, en mars 1949, j'avais obtenu le rôle masculin principal dans *Mon ami Philippe*, une création présentée à la salle Boissières. La première s'est terminée en catastrophe. Je me suis dit que je n'étais pas venu en France pour participer à des fours. J'ai démissionné le lendemain.

À notre arrivée à Paris, nous avions repris contact avec Jean Gascon et Jean-Louis Roux. Ce dernier était, à ce moment, comédien et régisseur dans la troupe de Ludmilla Pitoëff qui remontait *Le Vray Procès de Jeanne d'Arc* au théâtre Sarah-Bernhardt à Paris. Il m'a déniché un petit rôle dans cette production et c'est ainsi que, à peine trois mois après mon arrivée, je jouais avec Mme Pitoëff, Jean-Louis Roux et Jean Gascon. Nous avons fait une tournée extraordinaire, tout le parcours de la Pucelle : Vaucouleurs, Orléans, Rouen, Chartres, Reims. Partir en tournée en autobus avec toute la compagnie, dont Jacques Catelain qui avait passé une partie de la guerre à Montréal, était une façon privilégiée de connaître la France et de prendre contact avec le public français. Je me sentais tout à fait intégré et à l'aise dans ce milieu. Quand nous jouions ainsi avec des troupes françaises, nous recevions un cachet qui, ajouté à ma bourse, m'aidait à survivre.

Au début, l'argot parisien me déroutait, mais je m'y suis fait rapidement. Et quand les Parisiens m'engueulaient, je répondais du tac au tac. Comme j'ai un don pour les langues, je me suis mis à parler argot et nous avons fini par nous entendre. Même les habitudes quotidiennes me plaisaient : le fromage, le pinard, la baguette... Mais le logement, c'était autre chose, c'était l'enfer. La mode était aux sous-locations ; il fallait payer des sommes faramineuses et donner des dépôts pour avoir la clé. Nous n'avions pas un sou et ne pouvions y arriver. Il fallait se fier à notre bonne étoile. C'est ainsi que nous nous sommes retrouvés à partager un appartement luxueux dans Auteuil avec les Groulx, une aubaine inespérée que cet appartement avec salle de bains, fait rarissime à l'époque. Plus tard, nous nous sommes installés dans l'appartement de Suzanne Avon, une amie rencontrée sur le plateau de tournage de *Un homme et son péché,* partie en tournée en Amérique du Sud avec son mari, Fred Mella, des Compagnons de la chanson. Pendant mes sept années de séjour en France, le logement s'est avéré un problème épique.

Denise et moi avons tout de même profité de nos premières vacances de l'été 1949 pour parcourir la province française à bicyclette avec nos amis les Groulx, apprenant ainsi l'histoire de France sur les lieux mêmes où elle s'était déroulée. C'est en sportifs émerveillés que nous avons découvert les châteaux de la Loire et les chaumières peintes à la chaux de la Bretagne ; Sully, dévastée par la guerre et en pleine reconstruction, Blois, Chambord, Amboise — site de la fameuse conjuration… À Belle-Île-en-Mer, un des lieux de villégiature préférés de Sarah Bernhardt, je n'ai pu m'empêcher de déclamer « Les Fureurs d'Oreste », niché dans le fauteuil taillé dans le roc de la falaise où elle faisait ses exercices de voix et de diction, sans me douter un seul instant de l'importance qu'allait prendre le fameux extrait d'*Andromaque* dans ma carrière à venir !

Je préparais mon audition pour la rentrée de 1949 au Conservatoire avec Bernard Bimont. Je visais toujours à obtenir le statut d'étudiant régulier au Conservatoire, dans l'espoir d'être admis à la Comédie-Française. Pourquoi pas ! Le Conservatoire menait là directement ! Je préparais donc le concours tout en suivant les cours de Rollan lorsque j'ai dû revenir au Québec, à la toute fin de l'été, pour tourner dans *Séraphin,* le deuxième film de Claude-Henri Grignon. Le premier avait connu un succès monstre. Là, manque de pot, Hector Charland, qui jouait le rôle de Séraphin, est tombé malade. Le tournage a été retardé. J'ai passé trois mois au Québec, au lieu d'un, et raté l'audition tant attendue. J'ai demandé à Denise, restée à Paris, d'aller rencontrer Paul Abram afin de lui demander de repousser la fameuse audition. Les deux bras lui sont tombés : « Écoutez… qu'est-ce qu'il lui faut à celui-là ? » C'était inimaginable de retarder le concours et il fallait être drôlement culotté pour oser le demander. Aujourd'hui, je ne le referais pas. J'ai pris une chance. J'ai toujours eu comme philosophie dans la vie qu'il fallait oser demander. Si la réponse est oui, tant mieux, la vie est belle ; si c'est non, tant pis, on passe à autre chose. Finalement, je n'ai jamais passé le sacré concours et je ne suis pas retourné au Conservatoire. Je suis resté chez Bimont une seconde année.

Dans le cours Bimont, nous passions des auditions devant des metteurs en scène connus de Paris, comme Le Roy, Daquin, Allégret, Grenier. Il nous est même arrivé d'auditionner devant Montherlant qui montait son *Maître de Santiago*, et de donner un récital de poésie de Péguy à la galerie Devèche. Il faut imaginer ce que cela représentait de travail, parfois sans autre résultat que l'apprentissage du métier. Avec la troupe de Bimont, nous avons d'abord monté la pièce *Le Jeu de l'amour et du hasard* dans laquelle j'avais déjà joué chez les Compagnons. Le soir de la première, à la salle Olier à Paris, François Mauriac présidait la soirée. Il nous a encensés et trouvait fascinant que cette troupe, qu'il croyait parisienne, fût en partie composée de Canadiens français : « Quel héritage prodigieux », disait-il. À force de travailler, nous n'avions presque plus d'accent. Nous avons fait quelques tournées dans les environs de Paris et en Normandie. Nous étions reçus comme des héros du débarquement aussitôt que nous nous identifiions comme Canadiens. La guerre n'était pas loin derrière et les Français se souvenaient de la Libération.

Prise 3 : Dasté et La Comédie de Saint-Étienne

Jean Dasté présentait, à Paris, *Mesure pour Mesure* de Shakespeare. C'était en juin 1950. Il dirigeait La Comédie de Saint-Étienne, un des quatre centres de décentralisation du théâtre financièrement appuyés par Mlle Jeanne Laurent, alors directrice des spectacles et de la musique à la direction générale des Arts et des Lettres du ministère de l'Éducation nationale. La décentralisation régionale était une idée dérivée de l'expérience de Jacques Copeau et de ses Copiaux, qui favorisait un théâtre national reposant sur des subventions de l'État et rayonnant en province. Dasté avait épousé la fille de Copeau, Marie-Hélène — Maïène pour les intimes — et avait fondé le premier centre régional à Grenoble en 1945, puis s'était déplacé à Saint-Étienne, deux ans plus tard. L'usage voulait que chaque centre présente à Paris, en fin de saison, ce qu'il considérait comme son meilleur spectacle de l'année. Dasté montait environ quatre ou cinq pièces annuellement. Cette année-là, il avait choisi *Mesure pour Mesure* de Shakespeare.

Un jour, en passant devant le théâtre avec Denise, j'ai vu l'affiche. Je connaissais Dasté par mes lectures, je savais qu'il était le gendre de Copeau. Comme je n'avais pas beaucoup de sous, j'ai décidé d'aller demander s'il n'y aurait pas des « taxes », c'est-à-dire des billets pour lesquels on ne payait que la taxe. Je me suis donc rendu à la loge de Dasté, qui, nerveux, se préparait pour le spectacle du soir, et j'ai demandé à le voir. Ouvrant la porte brusquement et sans me donner la chance de placer un mot, il m'a dit : « Pour les auditions, c'est demain après-midi à trois heures. » Puis, il a claqué la porte. Il croyait probablement que j'étais un jeune qui venait lui offrir ses services. Il profitait effectivement de ses passages à Paris pour recruter de jeunes comédiens. Il y avait un taux de mobilité assez élevé en province ; on restait une saison ou deux et on retournait à Paris aussitôt. Je suis redescendu avec la ferme intention de revenir le lendemain pour les auditions. Entre-temps, nous avons dû payer nos places pour assister à la représentation.

Le lendemain, je me suis présenté à l'audition avec Denise et j'ai joué « Les Fureurs d'Oreste » :

> Pour qui sont ces serpents qui sifflent sur vos têtes ?
> À qui destinez-vous l'appareil qui vous suit ?
> Venez-vous m'enlever dans l'éternelle nuit ?
> Venez, à vos fureurs Oreste s'abandonne.
> Mais non, retirez-vous, laissez faire Hermione !
> L'ingrate mieux que vous saura me déchirer,
> Et je lui porte enfin mon cœur à dévorer.
>
> Acte V, scène V

Au moment de quitter la scène, Dasté m'a arrêté et m'a demandé si je serais prêt à partir en province. Il cherchait un Sévère pour *Polyeucte* de Corneille et voulait me confier le rôle, que j'avais déjà travaillé avec Rollan et Bimont d'ailleurs. Nous nous sommes revus à l'appartement d'Auteuil, et Dasté a failli engager Georges et Lucille également. Mais Georges ne voulait pas quitter Paris et s'enterrer en province. Denise et moi avons été embauchés et nous nous sommes retrouvés chez Dasté, à Saint-Étienne, à l'automne 1950. Nous y sommes restés deux saisons.

Dans cette troupe, j'allais renouer avec l'expérience des Compagnons, mais en mieux structurée. Cela plaisait bien à Dasté de voir que j'étais rompu à cette routine qui consistait à s'occuper de tout, même du transport des décors, d'autant plus que Dasté avait un petit côté « haut les cœurs ». Il était du genre « joyeuse équipe ». Nous étions jeunes, ça allait. À Saint-Étienne, nous nous produisions à l'Éden, une ancienne salle de cinéma. La troupe devait couvrir tout un territoire : à l'est jusqu'à Grenoble, au sud vers Montélimar, à l'ouest jusqu'au Puy-de-Dôme, au nord jusqu'à Lyon. Il nous arrivait également de faire des échanges avec La Comédie de l'Est, à Colmar, avec certains spectacles. À la fin de la saison, nous allions à Paris. La première année, nous avons joué *Le Bourgeois gentilhomme* à l'Athénée dont Louis Jouvet, qui venait tout juste de mourir, avait été le directeur. Nous étions la première troupe à rouvrir son théâtre. Dasté hésitait mais Pierre Renoir, directeur du théâtre, l'a convaincu : « Si le patron était là, il vous dirait de jouer. » Félix Leclerc, qui triomphait à Paris, a assisté à la première avec Doudouche, sa femme. Des retrouvailles émouvantes.

🎭

Vivre en province était une expérience toute nouvelle. Nous ne logions pas à Saint-Étienne même, mais à Rochetaillée, sur la route du mont Pilat, à flanc de montagne. C'était rustique. L'appartement était plutôt minable, mais nous avions au moins un toit et une belle vue. La ville de Saint-Étienne était assez tristounette : une ville industrielle, peuplée de mines et de manufactures de machines à coudre, de fusils de chasse et de vélos. Chaque année, on y publiait une revue commerciale bien connue, *Armes et cycles de Saint-Étienne,* qui comprenait la liste exhaustive des armes et des vélos que l'on pouvait s'y procurer. Une révélation que cette prise de contact avec les travailleurs miniers ! Nous nous disions sans aucune arrière-pensée : « C'est parce que leur ville est laide qu'ils sont aussi hospitaliers ! » À l'époque, la ville minière était très terne avec une poussière noire qui flottait au-dessus, mais les gens étaient d'une simplicité, d'une générosité extraordinaire. Denise et moi avons été très touchés par les rencontres et les liens d'amitié créés à Saint-Étienne.

C'était le vrai public populaire. L'année précédente, Dasté avait monté un spectacle intitulé *La Mine,* qu'il était allé présenter sous terre. Il avait dû faire jouer les rôles féminins par des comédiens parce que les mineurs travaillaient souvent nus, ou presque. La grande majorité d'entre eux étaient des travailleurs immigrés. Il n'y avait qu'eux pour consentir à exercer ce métier dans de pareilles conditions. Ils étaient si mal payés qu'ils descendaient souvent sous terre à poil, pour ne pas salir leurs vêtements et ne pas les user à les laver, incapables qu'ils étaient de les remplacer. Le travail était si dur que la région détenait le championnat quotidien de la consommation de vin rouge : onze litres par individu, disait-on !

Dans la tradition de Copeau et de Charles Dullin, Dasté voulait amener les plus belles œuvres théâtrales aux classes populaires pour que cette culture, que l'on disait élitiste et réservée aux nantis, devienne le bien de tous. C'était sa philosophie. Il s'insérait dans cette tradition, un peu conservatrice sur le plan du répertoire, mais en innovant de la façon suivante : au lieu d'attendre le public dans de belles salles éclairées avec lustres et grand luxe, il allait à sa rencontre. Ce public du bassin minier était on ne peut plus simple et vrai, un public sain, pas intellectuel du tout et capable d'apprécier aussi bien un spectacle de poésie de Cendrars que *Amal et la lettre du roi* de Tagore. Grâce aux associations, nous avions un auditoire assuré. Les Amis de La Comédie de Saint-Étienne s'occupaient de contacter les syndicats et les associations populaires, et de les amener au théâtre. Dans le fond, comme disait Jean Vilar, tous les publics sont ouverts si on leur donne la possibilité d'avoir accès à ces œuvres-là.

À partir de mai, nous jouions également en plein air, sur la place du Soleil ou encore sous le chapiteau, à Albertville. Notre répertoire était des plus variés, de Molière à Shakespeare en passant par Copeau, Corneille et même un nô japonais, *Kagekiyo,* mis en scène par Marie-Hélène Dasté et qui avait connu un grand succès. La première pièce que nous avons jouée, *L'Illusion* de Copeau — une adaptation libre de la fameuse *Célestine* de Fernando de Rojas, poète espagnol du XVIe siècle — m'est apparue un signe du destin. Je crois beaucoup aux rencontres, ma vie en a été jalonnée. De débuter ainsi à Saint-Étienne, dans une pièce de Copeau dirigée par son gendre, marquait la filiation avec le père Legault qui nous avait révélé tout ce courant théâtral français. Les pièces les mieux reçues par le public étaient les plus drôles, généralement les œuvres de Molière. Il n'aurait pas fallu jouer les alexandrins de Racine ou les stances de Corneille trop souvent. Il ne fallait pas étouffer l'œuvre et la rendre rébarbative, mais la faire connaître sans trop appuyer sur l'aspect didactique. Dasté aimait bien le genre des soirées de divertissement, il désirait faire participer le public. Nos spectacles n'étaient pas onéreux. Les matinées classiques étaient presque données. Tout ça, faut-il le rappeler, était subventionné par l'État.

Nous travaillions sans relâche, systématiquement. Chaque matin, nous nous réunissions au petit déjeuner pour discuter de questions relatives au programme. Puis nous enchaînions à huit heures, avec la gymnastique, que nous pratiquions à l'extérieur quelquefois à dix degrés sous zéro et hop! Nous avions vingt ans, c'était excellent pour la santé! Suivait une période de danse, à l'intérieur, avec une ancienne danseuse de l'Opéra de Lyon. Ensuite, une séance de chant parce que, dans le nô japonais, nous devions psalmodier. René Lafforgue, qui était musicien et avait dirigé une chorale de prisonniers dans un stalag pendant les années d'Occupation, nous enseignait. C'est là que j'ai découvert ce qui s'était vraiment passé pendant la guerre. Au Québec, on ignorait tout ça, on avait fait de l'argent avec la guerre. Le rationnement auquel on était soumis n'avait rien à voir avec ce qu'ils avaient vécu là-bas. Nous en parlions souvent, car plusieurs membres de la troupe avaient été faits prisonniers. Nos journées se terminaient vers six heures et se prolongeaient le soir quand nous jouions en ville ou dans les banlieues. Nous en abattions du boulot dans une journée, mais c'était extrêmement stimulant!

La saison régulière durait de septembre à juin et comprenait un mois de vacances payées. Nous montions généralement quatre à cinq spectacles différents. Notre contrat prévoyait un salaire mensuel auquel s'ajoutait un défraiement quotidien. La troupe partait en tournée dans un gros car dans lequel nous entassions tout le matériel imaginable, costumes et décors, et nous voyagions comme ça, un peu comme Jean Vilar et sa roulotte pendant la guerre. Cela participait du même mouvement, du même esprit. Ces tournées nous conduisaient dans les coins les plus reculés de ce que l'on appelait alors la France profonde. Toute une découverte. Autant pour nous que pour les comédiens d'origine parisienne de la troupe. À l'époque, les gens ne se déplaçaient pas autant et, comme on sortait tout juste de la guerre, ils ne faisaient que recommencer à circuler facilement. Une révélation, cette vieille France, la vraie de vraie, celle qui a beaucoup changé depuis! Le public venait nous voir dans de bonnes dispositions et semblait nous considérer comme des membres de la famille. Il faut dire que, n'ayant pas trop de sous, nous logions souvent chez l'habitant. C'était une façon extraordinaire de connaître les gens et de découvrir la bouffe régionale en même temps. Je me souviens qu'à Grenoble, après une représentation de L'Illusion, une vieille comédienne du théâtre municipal est venue nous dire qu'elle avait été l'élève de Copeau en 1920 et que s'il nous avait vus interpréter sa pièce, il aurait été bien fier de son gendre et de sa troupe.

Nous jouions dans les plus petits patelins comme dans les plus grandes villes, dans des hameaux comme La Talaudière ou des villes comme Lyon, dans des conditions extrêmement variables. À Villard-de-Lans, en Haute-Savoie, nous avons présenté le spectacle dans la salle du patronage. Comme il n'y avait ni coulisses ni loges, nous devions aller nous maquiller dans le presbytère situé tout à côté. Nous traversions la cour enneigée, grimpés sur nos cothurnes de *Polyeucte,* les jambes nues dans la neige jusqu'aux genoux. À Monistrol, un tout petit patelin, les loges étaient situées sous les combles auxquels nous accédions par une échelle casse-gueule. Par contre, au réputé théâtre Le Célestin de Lyon, les conditions étaient excellentes.

J'étais toujours étonné de voir que nous remplissions des salles de huit ou neuf cents places, dans des villages qui ne contenaient que trois ou quatre cents habitants! De toute évidence, les spectateurs venaient des alentours. Je pense qu'il y avait une plus grande curiosité chez les gens ordinaires en France, en comparaison de nos publics québécois du temps des Compagnons de saint Laurent, qui se recrutaient surtout dans les collèges. Il faut dire que la troupe étant subventionnée par l'État, cela ouvrait bien des portes. Partout où nous arrivions, nous étions reçus par le préfet ou M. le maire qui nous faisait de la réclame gratuite.

J'ai fait deux saisons complètes avec La Comédie de Saint-Étienne. En mai 1952, mon fils Pierre est né dans des conditions un peu difficiles. Denise avait joué avec la troupe jusqu'à la dernière minute, tout comme Catherine Dasté et Jeanne Girard, deux autres comédiennes de la troupe enceintes en même temps qu'elle. Ce n'était pas de tout repos. Elle était fatiguée et, étant proche de son terme, n'avait pu accompagner la troupe à Paris où nous allions présenter *Macbeth* au Théâtre de la Renaissance. Son inquiétude était d'accoucher toute seule, sans famille, à l'étranger, en mon absence. Heureusement j'ai pu revenir à temps, mais sans l'aide de Maïène et de la famille du Dr Boyron, l'expérience aurait pu tourner autrement. Notre séjour nous avait permis de pénétrer dans l'intimité de la famille Copeau-Dasté. Comme nous étions voisins, à Rochetaillée, nous allions souvent travailler avec Marie-Hélène et Jean en dehors des heures normales de répétition, pour perfectionner nos scènes, surtout dans le nô japonais. Ils étaient devenus de véritables amis. C'est Marie-Hélène qui a conduit Denise à la maternité de Saint-Étienne. Tout le monde du patelin a été formidable. Étant loin de nos familles, l'entraide et la solidarité des petits villages nous étaient précieuses. Cela faisait partie des avantages de la province.

Avec la naissance du gosse, il fallait gagner un peu plus. Je me suis risqué à demander de meilleures conditions. Comme Dasté faisait face à la naissance simultanée de trois enfants de membres de la troupe, ce n'était pas possible pour lui de répondre aux nouvelles exigences de chacun. Puis, après deux saisons en province, même si nous y avions été heureux, ce n'était pas Paris… C'est le même phénomène partout, on vise les capitales ! Je me suis donc décidé à revenir à Paris.

Quand j'ai quitté Saint-Étienne, Maïène, que j'adorais, m'a dit : « Mon pauvre petit Guy, qu'est-ce que vous allez faire à Paris ? Le chômage est endémique parmi les comédiens et, en plus, vous êtes Canadien… » Je lui ai répondu que j'essaierais d'entrer chez Barrault ou chez Vilar, les deux seules troupes qui m'intéressaient. Elle avait fait toute sa carrière chez Barrault et savait qu'on n'y entrait pas comme dans un moulin. Il avait déjà toute une troupe constituée et n'embauchait qu'au besoin. Je me suis dit que j'essaierais, il n'y avait pas d'autre façon. J'attendrais les auditions !

Entre-temps, après avoir quitté Dasté, nous sommes allés passer l'été à l'île de Ré, en famille, grâce à la générosité d'un camarade de Saint-Étienne, Didier Béraud. De retour à Paris en septembre, la recherche infernale d'un appartement a recommencé. Des amis de l'ambassade canadienne, Hélène Rocque et sa mère, ont accepté de nous loger rue Balzac, mais nous ne pouvions pas rester là indéfiniment. Heureusement, il y avait toujours ma bourse grâce à laquelle j'ai eu la chance de ne jamais connaître la mouise, la misère. À ce

moment, un hasard exceptionnel a fait que j'ai rencontré Suzanne
Cloutier sur les Champs-Élysées, un après-midi. Nous avons pris un
verre à une terrasse tout en nous racontant mille choses. Suzanne
était une amie d'Ottawa. Son père était imprimeur de la Reine et
donnait parfois des sous-traitances à l'imprimerie de mon père. Elle
avait amorcé une carrière au cinéma avec Marcel Carné dans *Juliette
ou la Clef des songes,* en covedette avec Gérard Philipe, et sortait tout
juste du tournage insensé du film *Othello,* de Orson Welles, dans
lequel elle interprétait le rôle de Desdémone. Un tournage qui avait
pris deux ans, entrecoupé de creux et de périodes de recherche de
fonds. Elle avait bourlingué pas mal et avait profité de toutes sortes
d'ouvertures et de chances dans le métier. Elle avait même travaillé
avec Jouvet.

Suzanne m'a confié qu'elle était sur le point de partir en tournée
au Maroc avec le Théâtre de Babylone, une troupe d'avant-garde qui
a eu beaucoup de succès à Paris en révélant Brecht et Beckett,
notamment. Jean-Marie Serreau était le directeur de ce petit théâtre
au répertoire différent. La troupe se cherchait un jeune premier pour
la tournée au Maroc. Elle a donc proposé de me présenter à Serreau
le soir même, lors de la répétition de *Georges Dandin* de Molière.
Comme je ne connaissais pas le rôle, je suis monté sur scène, brochure en main, pour donner la réplique à Suzanne dans le rôle de
Clitandre. J'ai été engagé et je suis parti au Maroc deux mois. Ma
femme ne pouvait m'accompagner ; elle avait le bébé et commençait
à se retirer un peu du théâtre par la force des choses. Les pauvres
femmes, on n'y pense pas assez ! Elle m'attendait à Paris avec l'enfant
dans l'appartement que nous avaient généreusement prêté Suzanne
Avon — mon Artémise du film *Un homme et son péché* — et son
mari, Fred Mella, le ténor des Compagnons de la chanson. Ma mère
était arrivée la veille de mon départ, pour s'installer avec nous pour
un moment. Sa présence était une chance inespérée. Le Théâtre de
Babylone a fait deux fois le tour du Maroc, avec des spectacles différents : *Georges Dandin* de Molière, *L'Habit neuf du Grand Duc* de
Ghéon, d'après un conte d'Andersen, et *La Jarre* de Pirandello.

Nous découvrions le Maroc à une période particulièrement troublée de son histoire. Bombes et émeutes alternaient avec les folles nuits dans les souks. À Rabat, nous avons failli sauter. Pendant la nuit, les insurgés avaient posé une bombe dans une aile de l'hôtel Royal, où nous logions. Rentrés tard et fatigués, nous n'avons rien entendu. Le lendemain, une partie de la salle à manger, heureusement située à bonne distance de nos chambres, était éventrée.

Prise 4 : Vilar et le Théâtre national populaire

De retour à Paris, j'ai appris que Jean Vilar tenait des auditions pour renflouer les rangs de sa troupe après le départ de Jean Leuvrais, Jean Négroni et Françoise Spira. Il était directeur du Théâtre national populaire (TNP) depuis un an et prenait possession du palais de Chaillot. J'ai décidé d'aller m'inscrire aux auditions et suis tombé, encore un heureux hasard, sur René Besson, que l'on surnommait affectueusement Bébé, dans le milieu. Un gars formidable qui avait été régisseur de Jouvet pendant vingt ans au moins et avec qui j'avais sympathisé rapidement lorsque nous avions joué à l'Athénée *Le Bourgeois gentilhomme* avec La Comédie de Saint-Étienne. Il m'avait pris en affection, étant mon aîné d'une bonne vingtaine d'années. Il m'arrivait souvent, après le spectacle, d'aller boire un pot avec lui tout en discutant théâtre. Vilar venait de l'engager comme directeur de plateau, d'où sa présence aux auditions. Il m'a dit qu'il serait présent en coulisses et s'occuperait de moi. J'en étais rendu à passer les auditions un peu par acquit de conscience, sans grand espoir.

Le fameux jour de l'audition, j'étais dans mon appartement quand Gaston Joly, un vieux camarade de Saint-Étienne et parrain de mon fils, a soudain fait irruption. Il avait trouvé mon adresse et avait décidé de venir me visiter en passant. Très content de le revoir, je l'ai invité à manger avec nous. Une fois installés, nous avons picolé en nous racontant mille et une choses quand tout à coup je me suis rendu compte qu'il était quatre heures et que mon audition était à… trois heures. Là, j'ai eu un coup au cœur. Je suis parti comme un fou, j'ai sauté dans un taxi et je suis arrivé à Chaillot tout effaré. Il y avait un monde fou. Je suis tombé sur Besson qui m'a engueulé de la bonne manière. Il était furieux et m'a dit : « L'audition est terminée, tu étais convoqué à trois heures, je t'attendais… tu es trop tard. » Voyant mon désarroi, il a rajouté : « Écoute, Vilar en a retenu une cinquantaine pour demain. Je te refile dans la liste, présente-toi, mais à temps… » Inutile de dire que j'y étais deux heures d'avance.

Cela devenait sérieux quand il ne restait qu'une cinquantaine de concurrents sur la liste. Vilar ne m'avait pas auditionné la veille, mais il ne devait pas s'en souvenir étant donné le nombre de comédiens qu'il avait vus défiler. J'ai passé l'audition avec Denise pour me donner la réplique, toujours l'extrait « Les Fureurs d'Oreste ». Je n'étais pas habitué à l'immense plateau de Chaillot qui fait trente-deux mètres de large. Immense! Des coulisses, je me suis bien aperçu que Denise était très loin et m'attendait en plein milieu de la scène. C'était l'entrée d'Oreste, après l'assassinat de Pyrrhus :

> Madame, c'en est fait, et vous êtes servie :
> Pyrrhus rend à l'autel son infidèle vie.
>
> Acte V, scène III

Je devais arriver dans un grand mouvement. Je suis parti, mais je n'arrivais plus à mon Hermione qui était trop loin. Je me suis arrêté et j'ai dit : « Excusez-moi, je recommence. » J'ai reculé, mais ne suis pas retourné en coulisses. Je suis resté à mi-chemin et j'ai repris ma scène.

À mon avis, j'étais mauvais à jeter par la fenêtre. J'ai terminé presque en bougonnant et j'ai foutu le camp très vite. Besson, qui était toujours là, m'a signalé d'écouter le patron qui me parlait. Vilar, de la salle, était en train de me dire de revenir le lendemain avec autre chose. Nous n'étions plus que dix ou douze et il en engageait peut-être six parmi les gars et les filles. Je n'ai pas dormi de la nuit. Deux ou trois jours plus tard, j'ai reçu un pneumatique, un petit bleu, de Vilar me demandant de passer le voir à Chaillot, qu'il avait quelque chose à me proposer. Beaucoup plus tard, Gérard Philipe m'a raconté que le patron avait été un peu étonné par mon audace de recommencer ainsi mon entrée. Je pense que cela a joué en ma faveur, en démontrant que je ne me laissais pas dérouter par l'imprévu. Le cauchemar se terminait en rêve. J'en ai toujours gardé une grande reconnaissance à Besson, qui est resté régisseur de Vilar jusqu'à sa mort.

Quand je suis arrivé au TNP, je ne me rendais pas compte que je participais non seulement à une grande aventure, mais aussi à un moment capital de l'évolution du théâtre français et européen. Cette troupe de jeunes, dont la moyenne d'âge pouvait être d'environ vingt-six ou vingt-sept ans, débordait d'enthousiasme. Le travail quotidien avec des gens aussi riches en dons et en talents que Gérard Philipe, Maria Casarès, Philippe Noiret, Jean Deschamps, Daniel Sorano, Monique Chaumette et autres, ne pouvait que combler le jeune comédien que j'étais. Si l'on rajoute que nous étions bien payés et travaillions dans des conditions quasi idéales, que souhaiter de plus? Nous avions tous le sentiment de participer à quelque chose de grand, d'extrêmement original, mais nous ne savions pas que ça prendrait une telle envergure.

Jean Vilar a marqué toute son époque. Politiquement, il avait des sympathies à gauche. C'était un socialiste plutôt qu'un communiste, bien qu'il lui soit arrivé de se situer à l'extrême gauche dans certains cas. C'était un tempérament violent, il le disait lui-même, qui devait constamment se dominer pour garder son sang-froid. De plus, il souffrait terriblement de l'estomac et a été opéré je ne sais plus combien de fois. Cela expliquait peut-être son caractère austère et angoissé. On l'a souvent traité de janséniste, de puritain. C'est vrai qu'il n'était pas facile d'accès, le patron. Même après trois ans, je ne pouvais pas dire que je le connaissais. D'abord, est-ce qu'on connaît jamais vraiment quelqu'un ? Et puis, il ne s'ouvrait pas facilement. Dans le fond, je crois qu'il était un grand timide. Dasté avait un petit côté bon garçon, jovial, plus facile. Vilar était assez distant et malhabile dans ses relations sociales. À cause de ses fonctions et de ses responsabilités, il ne pouvait se permettre d'étaler sa grande sensibilité. Paradoxalement, je n'ai jamais vu un homme avec une aussi grande délicatesse pour autrui et un tel respect de l'autre. En trois ans, je ne l'ai jamais entendu élever la voix contre un comédien. C'est drôlement rare dans une compagnie de théâtre ! Quand il n'était pas content, au lieu d'éclater, il claquait la porte et quittait la pièce.

Il manifestait autant d'intérêt pour le dernier des figurants que pour les premiers rôles. Un traitement égalitaire. De prime abord, il m'a totalement désarçonné en tant que directeur d'acteurs. Au début des répétitions, il nous laissait le champ libre. Je me souviendrai toujours de ma première entrée en scène dans *Lorenzaccio* de Musset, dans le rôle du cardinal Valori. J'étais en coulisses et attendais comme tout le monde. Il m'a dit : « À vous, Provost. — Oui, mais j'entre par où ? — Par où vous voudrez ! » J'ai regardé Gérard Philipe — nous entrions ensemble — qui m'a dit, blagueur : « Par le fond, on entre toujours par le fond. Viens, viens... » Nous sommes entrés par le fond et, finalement, Vilar a approuvé.

Nous pouvions tenter n'importe quoi, utiliser n'importe quel ton, n'importe quel rythme, il n'avait rien décidé pour de bon, pas de notes, rien dans les mains, rien dans les poches. Il avait réfléchi, bien sûr ; il ne s'amenait pas là sans y avoir pensé, mais il n'y avait jamais rien de réglé définitivement. Il faisait confiance à ses acteurs et, tout doucement, il prenait ça en main. Il croyait à l'improvisation. Vilar misait beaucoup sur la spontanéité, surtout lors des premières à Avignon, au festival annuel de théâtre. C'est pourquoi il aimait bien le mot RÉGIE. Tout ça prenait corps et se plaçait au gré des répétitions. Il avait une sacrée équipe, hautement professionnelle.

En plus des techniciens, la troupe était constituée d'un noyau de permanents, peut-être une vingtaine de comédiens et de comédiennes sous contrat à l'année, dont j'étais; il s'en rajoutait dans les grosses distributions. J'ai été engagé en même temps que Philippe Noiret et Roger Mollien. Pour moi, c'était l'apothéose. Mais la concurrence était rude, et si j'ai débuté dans deux bons rôles secondaires, celui du cardinal Valori dans *Lorenzaccio* et celui de Fouquier-Tinville dans *La Mort de Danton,* j'ai dû attendre indéfiniment le rôle qui aurait pu me propulser au premier plan. Je me consolais en me disant que j'étais privilégié d'être membre à part entière de cette troupe prestigieuse. Puis, dans une troupe jouant en alternance cinq ou six pièces par année, il était clair qu'il fallait être prêt à interpréter tous les rôles, des plus petits aux plus grands. Pour le moment, je me spécialisais surtout dans les petits!

Au départ, je voulais jouer et je ne me souciais pas plus qu'il ne le fallait de la conception du théâtre de Vilar. Je cherchais un travail intéressant, je ne pouvais pas demander mieux. Le contrat au TNP comprenait un « fixe » mensuel et un « feu », qui s'ajoutait à chaque représentation. Les « feux » étaient de petits suppléments offerts aux acteurs selon leur importance et par représentation, vestiges d'une vieille tradition qui consistait à verser aux comédiens une somme d'argent pour leur permettre de chauffer leur loge, à une époque où le chauffage était rare en France. Quelquefois nous gagnions davantage en « feux » qu'en « fixe », en participant à plusieurs représentations dans le mois. Les « feux » pouvaient varier selon l'effort fourni par le comédien et le temps passé sur scène, mais tous les « fixes » étaient égaux. C'était le côté de gauche de Vilar : tous les comédiens, les vedettes autant que les derniers arrivés, avaient le même « fixe ». Gérard Philipe avait le même salaire de base que Guy Provost!

Petit à petit, j'ai compris la vision particulière de Vilar. Pour lui, le théâtre populaire était un service public qui consistait à faire connaître les grandes œuvres aux classes populaires, pas seulement à l'élite, les nantis, et à les leur faire apprécier. Dans un pays aussi hiérarchisé que la France, où les classes sociales étaient assez marquées, le vrai théâtre populaire devait réussir à unir tous ces gens-là. Autant Vilar détestait les bourgeois, autant il ne voulait pas les exclure de la salle et refusait de les traiter différemment des classes laborieuses. Il avait en horreur ces théâtres parisiens où le prix des places était aligné sur le confort des sièges — rembourrés ou non, avec ou sans accoudoirs — et sur la vue qu'on avait. Il se battait contre cette formule. Dans le choix du répertoire, il manifestait une préoccupation sociale et politique constante. Par exemple, la pièce en vers *Ruy Blas*, de Victor Hugo, n'était quand même pas à la portée du premier venu ! Il y avait un sens politique évident dans l'histoire de ce « ver de terre amoureux d'une étoile », ce laquais qui s'amourache de la reine. Il y avait tout un message politique là-dedans : il ne faut pas insister sur les différences de classes pour franchir les fossés établis. En partant du principe que « s'instruire est une conquête personnelle », Vilar ne faisait aucune concession sur la qualité. Il nous disait souvent : « Si le travail est bien fait, il sera populaire, le théâtre. »

Tout le monde ne partageait pas nécessairement sa vision et, plus d'une fois, on lui a mis des bâtons dans les roues. Il a eu des ennemis sérieux et a failli être remercié lors du renouvellement de son mandat en 1954. Paradoxalement, la droite lui reprochait de faire un théâtre de gauche, et la gauche, de n'être pas assez à gauche. Finalement, je crois que son grand rêve de théâtre populaire ne s'est jamais entièrement réalisé. Les classes existent toujours, les hiérarchies et le fric également. Je pense qu'une telle fusion n'est possible qu'aux périodes où il existe une croyance partagée, comme au Moyen Âge par exemple, où la religion jouait ce rôle.

C'était tout de même émouvant de voir ces salles remplies d'ouvriers de chez Renault quand nous jouions dans les banlieues. La formule des week-ends, à Suresnes et à Saint-Denis, incluait trois spectacles et un bal populaire. Les spectateurs étaient nourris, on appelait ça « le veau froid et le vin rouge fournis ». Vilar nous recommandait de nous mêler aux gens, autant que possible, et d'aller danser avec eux après la représentation. Nous n'en avions pas toujours envie, mais c'était une forme de dialogue avec le public. D'une façon plus régulière encore que Dasté, Vilar dépêchait des gens dans les usines, les associations et les syndicats d'entreprise pour discuter avec les ouvriers et préparer le spectacle. Par exemple, quand nous avons monté *Mère Courage*, peu de gens connaissaient Bertolt Brecht. Il a envoyé des émissaires rencontrer les ouvriers, pas pour leur donner un cours, mais pour les informer de ce que représentait Brecht comme dramaturge dans le monde communiste. Toute la question politique était importante pour Vilar. Il avait un courage fantastique de s'attaquer à ces différences de classes.

Finalement, nous jouions à Chaillot d'octobre à février seulement. Le reste de la saison, nous parcourions les banlieues et la province française. Nous faisions également des tournées dans les pays limitrophes, la Belgique, l'Allemagne et dans les pays de l'Est, en pleine guerre froide. Le rythme de travail était écrasant. Même si je ne jouais pas les premiers rôles, je n'avais pas beaucoup de loisirs. À une certaine époque, Vilar exigeait que nous fassions de l'entraînement deux ou trois matins par semaine, au parc des Princes, pour garder la forme. Il nous y accompagnait. Il engageait des professeurs d'éducation physique : escrime, boxe, course et saut. Nous choisissions selon nos intérêts. C'est lors d'un de ces entraînements que j'ai eu la malchance de me faire fêler une côte par Philippe Noiret, plus costaud que moi à l'époque! Une fois les répétitions, les enregistrements de pièces, les bouts de films ou les séances de télévision terminés, il ne restait presque plus de temps pour les loisirs, hormis la famille. Il fallait ajouter à tout ça les essayages de costumes et les changements de rôles, car dans les deuxième et troisième rôles, il fallait parfois remplacer, quasiment au pied levé, un acteur malade ou absent. Nous donnions au moins neuf représentations par semaine, tous les soirs sauf le lundi, en plus de trois matinées. Les Fêtes, nous ne les voyions pas : nous jouions en matinée et en soirée à Chaillot, à Noël et le lendemain, au jour de l'An et le lendemain. Bon nombre de provinciaux montaient à Paris pendant cette période et fréquentaient le théâtre. Il fallait en profiter.

L'été, nous partions pour Avignon. C'était pour nous une période de ressourcement, d'investigations. Loin de la vie trépidante et souvent factice de Paris, nous prenions le temps de travailler en douceur et en profondeur. Nous apprenions à mieux nous connaître, à fraterniser.

Il nous arrivait de nous retrouver place de l'Horloge pour manger après le spectacle et veiller jusqu'aux petites heures du matin. J'y ai déjà vu autour d'une même table, Albert Camus, Henry Miller, Lawrence Durrell, Alexander Calder… et moi servant d'interprète! Même Vilar se risquait à raconter des blagues qui tombaient parfois à plat, handicapé qu'il était par sa grande timidité et la distance qu'il gardait avec ses comédiens.

Ce travail quotidien de répétition, les comédiens torse nu et en short sous le ciel d'Avignon, devant un Vilar en salopette, chapeau de paille sur la tête, devait paraître bien incongru aux touristes qui visitaient le palais des Papes. Et nombreux étaient les Avignonnais qui, nous voyant gesticuler sur le plateau de la Cour d'honneur, sous le soleil déjà torride de onze heures, s'exclamaient : « Ils sont "fadas" ces Parisiens! » Ce qui ne les empêchait pas, une fois le travail terminé, de nous offrir un petit pastis bien frais, avec une lueur de commisération dans l'œil pour ces « forçats de la scène »!

Jouer dans la Cour d'honneur du palais des Papes à Avignon, ce lieu magique, était inespéré. Et quand ont retenti les trompettes de Maurice Jarre, marquant le début du premier spectacle auquel j'ai participé, j'ai senti littéralement mon cœur bondir hors de ma poitrine. Je l'ai rattrapé juste à temps avant qu'il n'aille se perdre dans le ciel avignonnais!

Prise 5 : Le fameux permis de travail

Comme j'étais à Paris pour étudier, je n'avais pas, en principe, le droit de travailler. Il me fallait d'abord décrocher un permis qui ne s'obtenait que sur preuve de contrat préalable. Lors de mon engagement chez Pitoëff, cela n'avait pas vraiment causé de problème, car la troupe n'était pas permanente et n'était formée que pour la durée d'un seul spectacle. Pour mon engagement à La Comédie de Saint-Étienne, Dasté m'avait obtenu facilement un permis émis par le département de la Loire. Sa troupe étant subventionnée, il avait ses réseaux, ses entrées auprès des autorités. De plus, le chômage n'avait pas la même ampleur en province qu'à Paris. Mais chez Vilar, il en a été tout autrement.

J'avais été accueilli d'emblée dans l'équipe du TNP. Je devais avoir bien travaillé mon accent, car personne ne soupçonnait que je pouvais être Canadien. Je n'en parlais pas non plus, sachant quels ennuis cela pouvait m'attirer. Mais cela a fini par se savoir, soit à la suite de confidences, soit au passage de frontières alors que j'exhibais mon passeport canadien. Quelques mois après mes débuts dans la troupe, Vilar m'a convoqué. Il venait d'apprendre que j'étais Canadien et n'avais pas de permis de travail en règle. Je croyais en avoir un, celui que je détenais chez Dasté. Or, comme j'avais quitté le département de la Loire pour celui de la Seine, le permis en question n'était plus valide. Je l'ignorais. Je croyais, me fiant à l'expérience de Saint-Étienne, que cela se ferait tout seul. J'ai donc déposé ma demande au ministère du Travail. Chaque fois que je contactais les fonctionnaires du ministère, ils se mettaient à la recherche de mon dossier, qu'ils finissaient par dénicher au bas d'une pile, tout empoussiéré, et repoussaient mon cas. On l'a remis à un tel point que, trois semaines plus tard, Vilar est revenu à la charge et m'a dit : « Vous savez, moi je suis responsable d'un théâtre subventionné, le théâtre de l'État ; je ne peux me permettre d'ignorer les lois de mon pays. Tous les soirs, quand vous jouez, je risque deux cent mille francs d'amende*. Grouillez-vous ! Sinon, je serai obligé de me séparer de vous. » Là, j'ai commencé à m'inquiéter et à soupçonner, tout à coup, qu'il y avait quelque chose qui accrochait. J'avais fait les démarches qui s'imposaient au ministère du Travail et au Syndicat des artistes, à Paris, mais rien n'avançait ! Même l'ambassade du

---

* Il s'agit d'anciens francs.

Canada n'avait été d'aucun secours. Je m'inquiétais ; je tenais mordicus à rester dans la troupe.

Sur ces entrefaites, j'ai buté sur Mme Jean Despréz, place de l'Opéra. Nous nous sommes tombés dans les bras et je l'ai invitée à la maison. Au cours du repas, je l'ai mise au courant de mes déboires concernant ma carte de travail. Je me doutais bien un peu de ce qui se passait : j'étais un étranger et il y avait si peu de travail pour les comédiens français qu'ils ne devaient pas être très enchantés à l'idée de me donner cette sacrée carte. D'ailleurs, on me l'avait signalé carrément : on m'avait suggéré d'aller voir du côté des travailleurs manuels, plombiers ou maçons. Je leur avais répondu que j'avais déjà un contrat et que je voulais continuer dans ce métier, qu'il n'était pas question pour moi de changer d'orientation. Rien à faire. « Je m'en occupe », m'a dit Jean Despréz.

— Demain matin, sois devant mon hôtel à huit heures. On part ensemble.

— Qu'est-ce que vous allez faire ?

— Laisse-moi faire, tu vas voir.

Le lendemain, j'étais à son hôtel à l'heure fixée. Elle m'a fait attendre un peu, puis nous voilà partis.

— Où va-t-on comme ça ?

— Au ministère du Travail.

— Ça fait cinq ou six fois que j'y vais, sans résultat.

— Moi, c'est la première et ils vont s'en souvenir.

— Qui comptez-vous rencontrer ?

— Je vais voir le ministre.

Quand on sait ce que cela signifie rencontrer un ministre en France, arriver comme ça de façon impromptue, il y a de quoi être inquiet !

Nous sommes arrivés dans les environs des Invalides. Il y avait un petit bistrot en face du ministère, où je me suis installé pour l'attendre, sans grand espoir. La voilà partie, toutes voiles dehors, puis elle a disparu dans l'immeuble. Lorsqu'elle a réapparu une bonne heure plus tard, elle était toute pimpante, souriante. « C'est fait, ça y est. Tu te présentes demain au Syndicat des artistes et tu auras ton permis. » Je n'en revenais pas. Je lui ai demandé de me raconter comment elle s'y était prise. Elle a répliqué : « J'ai foncé, foncé. » En distribuant des paquets de cigarettes américaines, elle avait réussi, après avoir passé deux ou trois huissiers, à se rendre à l'attaché du ministre et à obtenir un rendez-vous. Une fois là, elle s'était présentée comme auteure dramatique et journaliste. Elle avait lancé un genre d'ultimatum au ministre à peu près en ces termes : « Si vous voulez que vos ressortissants français continuent à gagner leur vie en jouant dans mes émissions à Radio-Canada, vous allez faire quelque chose pour ce jeune Canadien qui se trouve à Paris et qui a déjà un contrat avec le TNP. Vous allez faire le nécessaire pour qu'il obtienne sa carte. » Ce fut l'affaire d'une minute : un coup de téléphone bien placé. Elle en a profité ensuite pour bavarder de choses et d'autres avec lui dans la bonne humeur. C'était tout à fait Jean Despréz, ça. Une grande générosité et un culot sans limite. Une fois obtenu, ce permis était renouvelable automatiquement au bout de trois mois, puis de six et, enfin, annuellement. J'ai fini par avoir un permis de travail permanent pour résident étranger. J'avais ainsi droit à tous les bénéfices sociaux. Et aujourd'hui, je me retrouve retraité de l'État français et pensionné du Syndicat des artistes français. Pas de quoi m'acheter une villa sur la Côte d'Azur toutefois, je n'y ai pas travaillé assez longtemps !

Au cours de ces trois années de travail en commun au sein de la troupe du TNP, pas une seule fois je n'ai entendu une allusion quelconque à mon statut d'étranger si ce n'est à une occasion où, à l'issue d'un repas pris en groupe, le ton avait monté à propos d'une discussion d'ordre politique. À bout d'arguments, Georges Wilson m'avait apostrophé : « De toute façon Provost, en tant que Canadien, tu n'as pas à te mêler de politique française. » Aussi sec, je lui ai fait remarquer que j'étais légalement un travailleur étranger demeurant en France, et que, comme lui, je payais mes impôts ; peut-être pas autant que lui, mais cela ne tenait qu'à notre administrateur Jean Rouvet d'augmenter mon traitement pour que j'en paye plus! Il avait trouvé ça fort drôle, sans pour autant donner suite à ma suggestion…

Prise 6 : Arrondir les fins de mois au cinéma et à la télévision

À l'époque, Margot Cappelier était responsable du casting pour certains films tournés en France. Elle adorait les gars du TNP et en profitait pour nous dénicher des rôles. Pas à Gérard Philipe, qui était déjà une vedette établie, mais à tous les autres, Noiret, Wilson, Provost… Elle savait bien que nous ne gagnions pas des fortunes et que ça pouvait nous aider à boucler nos fins de mois. C'est ainsi que je me suis retrouvé à jouer sous la direction de Sacha Guitry dans *Si Paris nous était conté*. Malheureusement, Guitry était déjà malade et presque un vieillard. J'ai tourné trois ou quatre jours avec lui, à la porte de Versailles. Un tout petit rôle : un apprenti forgeron qui croisait l'empereur Bonaparte — joué par Raymond Pellegrin — et, le reconnaissant, tombait à ses genoux. Un jour, juste avant une prise, Guitry, assis dans sa chaise roulante, m'a fait signe d'aller à lui et m'a dit de m'agenouiller. J'étais un peu éberlué, mais il ne voulait que rétablir ma perruque. En me relevant, il a esquissé un signe de croix en me disant : « Allez en paix mon fils. » Tout à fait dans l'esprit de Guitry! Le midi, nous mangions tous ensemble sous la tente et devenions les témoins attentifs de ses propos.

En France, un plateau de tournage était semblable à ceux qu'on retrouvait dans tous les studios de cinéma, mais en plus désordonné qu'au Québec où la tradition me semblait plus britannique. Là-bas, il fallait crier « Silence! » six ou sept fois avant de l'obtenir. Une ambiance faite de spontanéité et de familiarité, un peu fantaisiste. C'était extrêmement agréable, car en réalité tout le monde s'amusait. Pour illustrer le côté bon enfant de tout ça, on raconte que Marcel Pagnol avait découvert que, vers onze heures, son équipe de tournage arrêtait pour l'apéritif, puis pour casser la croûte, filmait un peu et arrêtait de nouveau pour une partie de pétanque vers cinq heures. Finalement, les journées étaient tellement écourtées que le soir tombait et Pagnol ne pouvait plus profiter de la lumière du jour. Il avait donc décidé de commencer à filmer tôt le matin en sachant qu'à partir de midi, il ne se passerait plus grand-chose. Il aurait été un des premiers cinéastes français à agir de la sorte afin de profiter de la lumière du jour pour les extérieurs en Provence.

Peu avant le tournage avec Guitry, j'ai joué dans *Trapèze*, du réalisateur Carol Reed. Un autre monde! Là, c'était mené à la baguette. Toute une discipline! La distribution était entièrement américaine. Nous tournions au Cirque d'hiver à Paris. Quand nous avions fait deux ou trois minutes par jour, c'était une bonne journée. Jouvet disait d'ailleurs que le plus difficile au cinéma était de trouver une chaise pour s'asseoir! Nous passions tellement de temps à attendre! Nous restions dans les gradins tant que nous n'étions pas appelés et, le soir, que nous ayons travaillé ou pas, nous passions à la caisse et les producteurs nous payaient notre journée. Nous rentrions à Chaillot pour jouer et revenions le lendemain. J'ai été dans cette situation pendant quelques jours et pour chaque jour en attente j'ai touché mon cachet rubis sur l'ongle. Le midi, nous allions manger dans un petit bistrot près du lieu de tournage. J'ai vu arriver, un beau midi, Anthony Quinn et Robert Mitchum avec Burt Lancaster, qui partageait la vedette de *Trapèze* avec Gina Lollobrigida. Trois géants, des espèces de colosses. Ils avaient de la difficulté à comprendre le menu, et je leur ai servi d'interprète. Nous avons fini par tous manger ensemble. Ils trouvaient un peu bizarre que je me débrouille en anglais et se sont montrés peu surpris d'apprendre que je n'étais pas Français mais Canadien.

Ma première expérience de la télévision date aussi de mon séjour en France, aux Buttes Chaumont. Le désordre y était indescriptible. J'y ai joué avec le réalisateur Claude Barma dans *Montserrat* et *Liliom,* pièce célèbre de Molnár. C'était la pagaille, c'en était hilarant. Je me souviens d'une séance particulièrement mouvementée. Nous en étions à la dernière répétition et quelqu'un est venu nous piquer une caméra pour l'emporter dans un autre studio, pour les informations je crois. Il ne faut pas oublier que c'était en direct, à ce moment. Il fallait voir Barma courir après l'autre réalisateur qui se sauvait avec la caméra. Une scène cocasse qui se reproduisait plus souvent qu'autrement.

Prise 7 : La colonie artistique canadienne à Paris

Dès mon arrivée à Paris, j'avais tenté de garder le contact avec le Canada, mais de façon plus ou moins suivie. Je connaissais assez bien la famille du général Vanier qui m'invitait de temps en temps à l'ambassade. La maison des Étudiants canadiens à Paris et l'ambassade du Canada étaient les lieux de rencontre de la colonie artistique canadienne vivant à Paris. C'est fou ce qu'il y avait alors de Canadiens à Paris ! Au début, nous allions régulièrement aux réceptions offertes par l'ambassade et par l'attaché culturel, Fulgence Charpentier. Lui et son épouse, Louise, étaient d'une grande générosité à notre égard. Nous étions pauvres et nous en profitions pour nous nourrir gratuitement. Nous entretenions des liens assidus surtout avec les gens de théâtre, comme Jean-Louis Roux et Jean Gascon, Robert Gadouas et Andrée Lachapelle, Pauline Julien et Jacques Galipeau, avec qui nous passions des heures à discuter de nos projets futurs, dans l'éventualité d'un retour au Québec. Nous n'avions tout de même pas l'intention de crever sous les ponts le jour où le boulot se ferait rare ! Par la suite, lorsque je me suis mis à travailler au TNP, j'ai fréquenté le milieu de loin en loin. J'étais devenu un comédien qui travaillait à Paris et j'y menais la même vie que les autres comédiens français.

Denise et moi étions aussi très liés avec les peintres Alfred Pellan et sa femme, Madeleine ; Mimi Parent et Jean Benoît, des surréalistes et disciples d'André Breton qui, eux, ne sont jamais revenus au Québec ; ainsi qu'avec les musiciens Maurice Blackburn et Gabriel Charpentier. Un petit monde d'artistes qui gravitaient plus ou moins autour de l'ambassade du Canada. À l'époque, il n'y avait pas de volonté gouvernementale bien arrêtée de participer financièrement aux aventures des ressortissants canadiens. Nous étions laissés à nous-mêmes et il fallait se débrouiller. Tant mieux si ça marchait et vogue la galère! Pas de lobby, pas de structures qui nous auraient permis de faire connaître nos productions en théâtre, en musique, en peinture. C'est comme ça que plusieurs initiatives entreprises entre nous ou conjointement avec l'ambassade pouvaient tomber à l'eau ou démarrer et retomber aussitôt.

Ainsi, peu après notre arrivée, nous avions eu l'idée de former une troupe canadienne et de la présenter au Concours des jeunes compagnies de théâtre, une compétition importante qui a propulsé la carrière de plusieurs metteurs en scène devenus célèbres. Nous avions demandé l'appui financier du gouvernement canadien. Lorsqu'une réponse favorable est arrivée, nous avons dû refuser la bourse, étant déjà engagés dans la tournée avec *Le Vray Procès de Jeanne d'Arc.* Quelle distribution nous aurions réunie : les Groulx, Gascon, Roux, Lucienne Letondal, Denise et moi. Six mois plus tard, toujours avec nos amis les Groulx et Lucienne Letondal, nous avons joué *Le Noël sur la place,* d'Henri Ghéon, à la maison des Étudiants canadiens. C'était la veille de Noël et l'auditoire réunissait les gens de l'ambassade et quelques invités, dont Daniel-Rops et François Mauriac, ainsi que nos professeurs Henri Rollan et Étienne Decroux. De temps à autre nous enregistrions, à l'ORTF, des émissions destinées à être diffusées sur les ondes de CKAC à Montréal, sous le titre *Les Étudiants canadiens à Paris.* Des pièces en un acte ou des extraits de pièces, comme *Un fils à tuer* d'Éloi de Grandmont. Cela nous retrempait dans l'atmosphère de chez nous.

❦

Depuis le début de mon séjour en France, j'avais eu plusieurs fois l'occasion de discuter des difficultés qu'éprouvaient les jeunes Canadiens français lorsqu'ils arrivaient à Paris et qu'ils essayaient de percer le milieu du théâtre. Nous avions tous plus ou moins connu ces problèmes. En 1953 et en 1954, quand j'étais au TNP, il m'arrivait encore de recevoir de jeunes visiteurs qui « retontissaient » dans ma loge et me racontaient leurs déboires et leurs misères. Quelquefois, mon père m'en envoyait aussi de Hull. Après en avoir discuté avec Mme Vanier, j'avais organisé, avec Robert Gadouas entre autres, un cours d'acclimatation pour jeunes comédiens et comédiennes, leur permettant de prendre contact avec le milieu et leur signalant vers quelles écoles s'orienter. Un centre d'orientation pour comédiens canadiens-français arrivant à Paris, quoi! Mme Vanier était très confiante de dénicher les fonds nécessaires. Elle trouvait l'initiative excellente. J'avais même convaincu deux comédiens du TNP, Jean Deschamps et Jean-Paul Moulinot, de donner des cours aux jeunes aspirants. Malheureusement, les subsides n'ont pas suivi et l'expérience n'a duré que quelques mois, le temps de monter un spectacle de Courteline, présenté à la maison des Étudiants canadiens. C'était toujours la même chose. Les intentions étaient bonnes, mais dès qu'il fallait débourser les sommes nécessaires, les promesses s'évanouissaient.

Mes amis peintres fréquentaient assez peu le théâtre. Je ne sais pas pourquoi, mais il me semble que les peintres en général ne sont pas amateurs de théâtre. En revanche, nous assistions à leurs expositions. En sortant du vernissage de Pellan au musée national d'Art moderne, en 1954, nous avions pris d'assaut un taxi. Une vieille Renault d'avant-guerre, une espèce de boîte carrée. Nous étions une bande de sept ou huit Canadiens français. Il y en avait partout : sur les sièges, ou étendus sur les ailes à l'extérieur. Nous allions festoyer et filions sur le boulevard Saint-Germain. Nous avons été arrêtés par un gendarme, mais nous nous en sommes sortis en nous servant de notre pire accent québécois, copieusement assaisonné de jurons bien placés. Le gars, ahuri, n'avait rien compris sinon que nous sortions d'un vernissage, que nous allions fêter un des nôtres et qu'il valait mieux qu'il nous fiche la paix! Il a fini par nous laisser circuler. Je fréquentais beaucoup Pellan à cette époque. Sa femme, Madeleine, étant allée se faire soigner à Montréal, il s'était retrouvé seul à Paris et venait nous voir plus souvent.

♤♤

Nous entretenions, évidemment, des liens épistolaires avec nos familles. Lorsque je jouais avec la troupe de Dasté, en 1951, mon père est même venu nous visiter à Paris. Je l'avais installé à l'hôtel Le Louvre, juste en face de la Comédie-Française. Il n'avait qu'à traverser la rue pour aller au théâtre quand il le voulait, en matinée et en soirée. Je l'ai emmené partout. Peu avant son arrivée j'avais rencontré, lors d'une tournée au Puy-de-Dôme, Mlle Jeanne Laurent, une femme remarquable, brillante. Elle était à la direction générale des Arts et Lettres avec Pierre-Aimé Touchard, responsable des théâtres subventionnés. Je lui avais signalé que j'attendais mon père avec qui j'avais fait du théâtre au Canada, et qu'il venait, aux vacances de Noël, passer une quinzaine de jours à Paris. Elle m'avait alors dit : « Je vais vous laisser un petit mot pour l'administrateur de la Comédie-Française. Vous pourrez le présenter de ma part quand vous irez au théâtre avec votre papa. » Elle me l'avait remis dans une enveloppe que je n'avais pas décachetée.

Peu après son arrivée, j'ai décidé d'inviter mon père à la Comédie-Française, à une représentation de *Conte d'hiver* de Shakespeare. En entrant au théâtre, j'ai présenté l'enveloppe à l'huissier de service. Très empressé, il nous a dit : « Suivez-moi. » Mon père, Denise et moi étions intrigués. Il nous a conduits dans une loge du côté jardin, à l'avant-scène. C'était celle du président de la République! Avant d'y entrer, il fallait traverser un petit salon avec des divans, des fauteuils et des tables. Nous nous sommes installés dans la loge. Mon père était drôlement impressionné. Le spectacle a commencé.

À l'entracte, nous avons regagné le petit salon; un fromage Boursault et du champagne nous y attendaient. Un larbin nous a servi le champagne avec des gants blancs. Mon père, complètement soufflé, m'a demandé : « Est-ce que c'est comme ça chaque fois que tu vas au théâtre? » J'aurais aimé lui répondre oui, mais je lui ai dit : « Non, non, c'est tout à fait exceptionnel! » Mlle Laurent avait dû mettre dans son petit mot quelque chose comme ceci : « Voulez-vous traiter avec attention ces gens qui sont mes invités. » Étant donné qu'elle était le grand ponte des théâtres subventionnés, dont la Comédie-Française, on avait pris sa requête au sérieux. Nous avons passé un après-midi absolument extraordinaire.

J'étais heureux pour mon père. Il baignait dans le bonheur et passait tout son temps au théâtre, comme ma mère d'ailleurs lorsqu'elle est venue habiter six mois avec nous, l'année suivante. Elle était là, le soir de la première de *Lorenzaccio* au palais de Chaillot. J'y faisais mon entrée, dans le rôle du cardinal Valori, avec Gérard Philipe. J'imagine qu'elle devait être dans tous ses états. Moi je l'étais en tout cas ! Je n'ai joué que pour elle ce soir-là.

Prise 8 : Tournées et imbroglios

En 1948, quand j'ai quitté le Canada, jamais je n'aurais pu imaginer connaître autant d'expériences diverses dans tous ces pays étrangers. J'engrangeais et j'emmagasinais le plus possible ! Avec le TNP, nous faisions fréquemment des tournées européennes. La première à laquelle j'ai participé, en 1953, nous a conduits au festival d'Édimbourg, à celui de Berlin et à Venise où nous jouions au théâtre de La Fenice, l'un des plus beaux théâtres du monde. Pour un jeune comédien, c'était une chance exceptionnelle que de se produire dans ces vieux théâtres européens et d'y rencontrer tous ces publics, à la fois semblables et différents. Je me sentais bien loin de ma salle Notre-Dame de Hull !

Tous les auditoires se ressemblent dans la mesure où ils réagissent à peu près aux mêmes endroits. Là où il y a un rire, que ce soit à Rome, à Berlin ou à Vienne, il y sera toujours, en plus ou moins accentué. S'il y a un moment d'émotion qui s'exprime par un silence profond, ce sera partout au même moment. Mais ils ont aussi chacun leurs particularités selon les pays. En Allemagne, et j'ai retrouvé la même chose au Japon tout récemment, le public est très réservé, très discipliné. Les spectateurs arrivent au théâtre à l'avance, dix ou quinze minutes au moins, et chuchotent. On a l'impression qu'il n'y a personne dans la salle. À un point tel qu'au début, par manque d'habitude, nous soulevions le coin du rideau pour vérifier s'ils étaient bien là. Le théâtre avait beau être bondé, nous ne les entendions pas. Pendant le spectacle, un silence de mort. Lorsqu'un acte prenait fin, ils n'applaudissaient quasiment pas mais, à la toute fin, s'ils avaient aimé, c'était le déchaînement total.

À Berlin-Ouest, nous avons battu le record des applaudissements détenu par le mime Marceau, qui était passé là un an avant nous. Dix-huit minutes d'ovation, ce qui est extrêmement long. Les Allemands avaient une technique un peu spéciale pour applaudir si longtemps. C'est fatigant applaudir! Une moitié de la salle s'exécutait pendant que l'autre se reposait. Puis, ça basculait et l'autre moitié de la salle prenait la relève. Si les gens avaient mal aux mains, ils poursuivaient avec les pieds. La première fois, c'était totalement déroutant. Nous ne savions plus quoi faire. Au TNP, Vilar tenait à ce que tous les membres de la troupe saluent ensemble, d'un seul mouvement. Gérard Philipe nous a alors entraînés dans une farandole autour de la salle. Nous avions eu de belles réceptions auparavant, mais jamais de la sorte.

Dans la plupart des théâtres européens, il existe des registres, des cahiers de scène où l'on note avec précision le nombre de spectateurs et de rappels, la recette, la durée des saluts, les entrées ratées des comédiens, bref tous les détails pertinents. Ça devient des sources extraordinaires d'information sur la réception des œuvres. Ici, au Québec, on n'a jamais rien eu de semblable. Ce que l'on appelle les cahiers de service ou babillards ne servent souvent qu'à noter des insignifiances. Là-bas, on consignait le rapport de la représentation de la veille, les notes du patron ou du metteur en scène concernant telle ou telle scène, les corrections à apporter, les supplémentaires si nécessaire. C'est ainsi que nous avons pu savoir que nous avions battu le record des ovations.

Très différent, le public italien manifeste sa présence de façon tangible. Les gens s'interpellent à tue-tête en prenant place dans les sièges et continuent de parler pendant le spectacle. À Venise, après l'entracte, ils ne rentraient plus. C'était une magnifique soirée de juin et ils étaient sortis boire sur la terrasse de La Fenice, au clair de lune. Nous attendions pour poursuivre, mais ils ne rentraient pas. Vilar a dû se fâcher, et le directeur est allé les chercher. Nous avons terminé le spectacle avec un certain retard. Ils ont apprécié pourtant. Différence de tempérament, je présume!

Dormir dans le lit de Copeau

C'est lors du mariage de la fille de Jean Dasté, Catherine, que nous avions découvert le manoir de Copeau à Pernand-Vergelesses, quelques années auparavant. Au retour d'une tournée, nous nous y sommes arrêtés, invités par Catherine. Denise était venue me rejoindre et nous avions laissé notre fils Pierre à Bourges, chez une gardienne recommandée par Pauline Julien; nos enfants avaient à peu près le même âge. C'était l'automne, le temps des vendanges. Je voulais absolument connaître ça. J'y ai travaillé trois jours comme journalier. Le vigneron, un vieux bonhomme de quatre-vingts ans, droit comme un piquet, portait le nom de... Jean Marais! Comme je refusais d'être payé, il m'a finalement offert une caisse de Château Savigny 1934, un vin superbe, d'une grande année. Il était à son summum. C'est là que j'ai couché dans le lit de Copeau et que j'ai passé une partie de la nuit à fouiller dans ses documents du Vieux-Colombier, entreposés dans sa chambre. Il y avait un dossier complet pour chaque spectacle, incluant toutes ses notes de régie, celles du tableau de service en plus de ses indications pour les mises en scène et des critiques. Comme j'aimais beaucoup la pièce *Les Frères Karamazov* de Dostoïevski adaptée par Copeau et Croué, j'avais pris des notes pour plus tard. On ne sait jamais! Nous l'avons d'ailleurs jouée en téléthéâtre avec Jean Faucher, en 1960, sur les ondes de Radio-Canada.

Je n'ai pas dormi de la nuit. J'étais dans un drôle d'état le lendemain pour retourner travailler aux vendanges. C'était un travail dur, alors il fallait bien se caler l'estomac. Le mari de Catherine, Graeme Allwright — Néo-Zélandais d'origine et chanteur folk bien connu — est allé chercher un immense bol en bois rempli de piquette, le petit vin de Pernand qui faisait neuf ou dix degrés, avec un gros quignon de pain tout chaud. J'étais en pleine forme pour attaquer ma deuxième journée. La nuit suivante, je n'ai pu répéter l'expérience. J'ai dormi tôt et à poings fermés. Si, avant de quitter le Canada, on m'avait dit qu'un jour je dormirais dans le lit de Copeau, je ne l'aurais jamais cru!

Avec sa réputation de gauche, la troupe du TNP était souvent reçue dans les pays de l'Est, à l'époque où l'on ne s'y baladait pas facilement. Mon premier contact avec l'Europe de l'Est remonte au festival de Berlin de 1953. Nous logions à Berlin-Ouest et avions pris le métro, sans papiers, pour aller du côté de Berlin-Est. Berlin-Ouest croulait sous le luxe. L'occupation américaine l'avait transformée en une imitation de Broadway, avec ses nouvelles constructions et ses vitrines bondées de victuailles. Rien n'y manquait. En contraste, la Stalin Alley, à Berlin-Est, était d'une laideur inimaginable. Il n'y avait rien, que de gigantesques édifices en béton. C'est là que j'ai pris contact avec la pénurie criante des biens de consommation en pays communiste. J'ai été frappé de voir, dans une vitrine, une lame de rasoir à vendre. Elle était déposée au beau milieu d'une gazette, avec un prix de vente. C'était tout ce qu'il y avait comme marchandise dans cette vitrine.

Au retour, nous pensions avoir pris le même métro, mais nous nous rendions bien compte que le paysage qui défilait n'était pas le même qu'à l'aller. Jean-Paul Moulinot, qui avait appris l'allemand lors d'un séjour forcé dans un camp de prisonniers pendant la guerre, s'est informé auprès d'une passagère et nous a dit de descendre le plus rapidement possible. Nous en étions au dernier arrêt avant la zone russe. Encore un peu et nous arrivions à Potsdam, sans papiers d'identité. Pourtant, on nous avait bien avertis de ne pas nous déplacer sans eux. Habillés comme nous l'étions, il n'y avait aucun doute que nous étions étrangers. Une fois disparus dans la zone russe, il aurait été très difficile de nous retrouver. Les Russes ne faisant pas de rapports, les recherches entreprises pour nous retrouver auraient pu prendre deux jours ou deux ans... Nous sommes revenus à Berlin-Ouest juste à temps pour la représentation.

C'est à Berlin-Est, après un spectacle, que nous avons rencontré Bertolt Brecht, peu de temps avant sa mort. Il avait passé la guerre aux États-Unis et parlait un anglais laborieux. Sa femme, Hélène, s'exprimait plus facilement dans cette langue. C'est elle qui nous avait invités. Nous nous étions rendus chez lui, dans son plus-que-modeste appartement. Il devait être au moins minuit. La rencontre a été brève. Il était déjà malade et semblait prendre ses distances avec le théâtre. Nous avions l'impression de le déranger. Il était là, un peu en retrait, renfrogné, sa petite casquette de prolétaire vissée jusqu'aux oreilles. Quelqu'un de la troupe a attaqué la question de la distanciation dans son théâtre, et il a répliqué que cela faisait partie du passé. D'une certaine façon, son Volks Theater se situait dans la même lignée que les tentatives de théâtre populaire de Vilar.

※

La tournée de 1955, la dernière que j'ai entreprise avec le TNP, a été mémorable. Notre périple comprenait les villes de Brno, Prague et Bratislava en Tchécoslovaquie, de Lyublyana, Zagreb, Sarajevo et Belgrade dans la Yougoslavie de la belle époque. Je découvrais les pays du rideau de fer, en pleine guerre froide. Nous avons commencé par Berlin. Dès que nous avons franchi la frontière, tout le personnel à bord des trains a changé. Nous sentions vraiment que nous traversions un mur imaginaire.

Nous regardions défiler Berlin-Est de la fenêtre du train. Spectacle désolant, que des ruines. J'étais placé entre Jean-Paul Moulinot et notre chef machiniste, Pierre Patry. À côté de lui, il y avait un Allemand qui baragouinait le français. Les deux ont engagé une conversation. Patry racontait qu'il était venu en Allemagne comme « travailleur obligatoire » pendant la guerre. Les Allemands mettaient comme ça le grappin sur les jeunes Français pour les expédier en Allemagne, remplacer les soldats partis au front. Tout à coup, nous sommes passés devant le Reichstag à moitié en ruine et devant lequel se trouvait un tank russe, supposément le premier entré dans Berlin. Tous les deux se sont mis à parler du bombardement de Berlin. Patry racontait que, pendant huit jours, il avait été enfermé dans une cave avec une Allemande, sa copine de l'époque. Finalement, la fille y était restée, ensevelie sous les décombres, alors que lui avait pu s'en tirer. Une histoire plutôt atroce. L'Allemand s'est mis à poser des questions sur la fille pour finalement découvrir qu'il s'agissait de sa propre sœur! Elle avait été la maîtresse de ce jeune Français pendant la guerre et était morte sous les bombardements alliés. Un moment d'émotion que je n'ai jamais pu oublier.

La ville de Dresde avait été complètement détruite par un bombardement, mais les habitants avaient reconstruit l'église et le théâtre. Nous étions frappés de voir que c'étaient les deux premiers édifices qu'ils avaient rebâtis. Vilar tenait à y jouer. Là où les gens ne comprenaient pas le français, nous publiions la pièce, dans la langue du pays, en petits fascicules qu'ils obtenaient en payant leur place. Ils pouvaient le lire avant ou pendant la représentation. Ça nous gênait parfois d'entendre feuilleter les pages pendant que nous jouions!

Lors de ces tournées, nous connaissions une réception fantastique, particulièrement dans les pays communistes. Les populations n'avaient pas vu de troupes de théâtre françaises sur leur territoire depuis le début de la guerre, ce qui remontait jusqu'à 1937 dans le cas de la Tchécoslovaquie. Dans la plupart de ces pays, la culture française était presque une seconde culture, avant la guerre du moins. Pour les personnes âgées, il s'agissait presque de retrouvailles avec un monde auquel elles n'avaient plus accès depuis le début de la guerre. Sur les quais des gares ou dans les aéroports, c'étaient des réceptions chaleureuses. D'autant plus que Gérard Philipe venait de tourner *Fanfan la Tulipe*, un film qui faisait des ravages au guichet et qui avait traversé le rideau de fer. Il fallait le protéger sur le quai des gares, autrement, il se serait fait déchiqueter par ses admiratrices !

De vieilles dames nous apportaient, dans nos loges, de petits bouquets de fleurs aux couleurs du drapeau français. Les gens nous couvraient de cadeaux : des disques, des carafes en verre de Bohême… Il faut savoir ce que cela représentait pour eux qui vivaient dans une telle pénurie. En échange, les gens nous demandaient de leur envoyer des disques de chanteurs populaires comme Brassens ou Montand et des livres anodins, autrement ils ne les auraient jamais reçus. D'ailleurs, je n'ai jamais su si mes envois s'étaient rendus à destination ! Durant les représentations, ils écoutaient dans un silence religieux et, à la fin, les applaudissements éclataient. Je pense qu'ils nous étaient reconnaissants, ayant été tellement privés pendant la guerre. Nous étions presque des archanges venant leur rendre visite ! Ils ne savaient pas quoi faire pour nous faire plaisir. Nous sentions qu'ils nous aimaient et c'était réciproque.

À bord de l'autocar qui nous menait d'un endroit à l'autre, nous discutions politique. Nous ne parlions que de ça. Gérard Philipe, de même que Vilar et plusieurs membres de la troupe, affichait des sympathies de gauche, difficiles parfois à réconcilier avec ce que nous voyions autour de nous. Nous étions constamment sous surveillance. À l'arrivée, on nous confisquait nos passeports et nous devions nous déplacer accompagnés d'interprètes. Une fois, c'était à Prague je crois, nous avons tenté de visiter la ville sans eux. Ils nous ont rattrapés aussitôt. Nous sommes revenus à l'hôtel, complètement dégoûtés. Et pour leur laisser savoir que nous nous rendions bien compte qu'ils fouillaient nos valises tous les soirs, nous avions déniché de grands cartons sur lesquels nous avions écrit en grosses lettres : MERDE. Nous les avions mis au fond du couvercle. Ça devait leur sauter aux yeux ! Au retour, aucune des photos prises en voyage n'était bonne. Elles avaient toutes été exposées.

À Prague, j'ai été reçu par le consul canadien, Peter Dobell, chez lui. À table, je posais des questions auxquelles il ne répondait pas, tout en me faisant des signes discrets. Il m'a demandé de le suivre aux toilettes. Il a ouvert les robinets de l'évier et de la baignoire, m'a fait asseoir et m'a murmuré à l'oreille : « *Now, ask me the questions… the mics are everywhere. I'll answer you here**. » Nous avons passé une demi-heure dans la salle de bains, avec les robinets qui coulaient à profusion. Il m'avait également averti que lorsqu'il viendrait me reconduire à l'hôtel, nous serions suivis par au moins une ou deux grosses limousines noires, les voitures du parti. Ça n'a pas manqué.

Les folles nuits de Prague

J'ai été, en revanche, très impressionné par les clubs de théâtre que nous visitions en pays communistes. C'étaient des lieux réservés aux acteurs et actrices où on retrouvait une bibliothèque, une cinéma-thèque, une cafétéria, un bar et un billard. Chaque grand théâtre d'État avait son club de théâtre. Comme l'État ne payait presque pas ses acteurs, ils avaient droit à des privilèges : une voiture — parfois avec chauffeur —, des tickets d'alimentation pour les magasins de l'État, des tickets d'alcool. C'était pareil pour le logement. La plu-part habitaient des taudis qui ne leur appartenaient pas, mais dont ils profitaient. C'étaient des acteurs remarquables, des voix superbes, avec une technique et une formation très professionnelles. Ils se donnaient à leur métier entièrement, ils n'avaient pas le choix, ils devaient performer pour conserver leur place et leurs privilèges. Par contre, leur théâtre, du moins le peu que j'ai pu en voir, me sem-blait très conventionnel, pratiqué dans des décors aussi poussiéreux que leur peinture, du réalisme socialiste d'une platitude totale.

Nous passions des nuits interminables dans ces clubs de théâtre, des nuits fantastiques. Nos hôtes organisaient des réceptions à tout

---

* « Maintenant, posez-moi vos questions… il y a des micros partout. Je vous répondrai, ici. »

casser avec buffets copieux — champagne de Crimée et vodka — malgré les pénuries que nous observions autour. Cela débutait assez officiellement avec des toasts portés, par le consul ou le ministre de la Culture du pays hôte, à la France, au TNP, à Vilar. Puis suivaient des prestations de musiciens remarquables, des premiers prix Lénine ou Staline en violon, en piano, etc. Des troupes folkloriques de jeunes danseurs et danseuses étaient aussi du spectacle. En principe, ces derniers n'avaient pas droit au buffet, mais nous les invitions, et il fallait les voir s'empiffrer! Ils n'avaient pas souvent l'occasion de festoyer ainsi. C'était toujours la fête au village accompagnée de musique tzigane. L'alcool aidant — les convives buvaient énormément — il s'installait tout à coup un laisser-aller général et, à un certain moment, les gens commençaient à s'ouvrir. Nous finissions par chanter et danser tous ensemble jusqu'aux petites heures du matin. Une fois, je m'étais même mis au piano; il me restait de petites notions de boogie-woogie, et les musiciens essayaient de prendre le rythme. Pour eux, cette musique d'outre-mer était quasiment inconnue. Ça finissait presque toujours par des récitals de poésie improvisés. Jean Deschamps, avec ses poèmes d'Éluard, faisait pleurer les Tchèques dès qu'il prononçait le mot liberté. Moi, je déclamais du Nelligan; c'était probablement la première fois qu'ils en entendaient de ce côté du rideau de fer!

À Prague, nous avons célébré joyeusement et jusqu'aux petites heures avec un groupe de comédiens. Nous sentions qu'ils étaient constamment aux aguets, il y avait un tel climat de délation! Une jeune actrice célèbre s'est mise à nous faire des confidences. Elle voulait devenir une vedette internationale. Elle venait d'être invitée à Cannes et avait l'intention de s'y rendre avec ses enfants. Les autorités le lui avaient interdit et exigeaient qu'elle laisse ses enfants au pays, en otage. On voulait s'assurer qu'elle reviendrait. Elle s'en était ouverte à nous. Le lendemain, éplorée, elle a rappliqué très tôt à l'hôtel où je logeais pour me supplier de ne rien dire à personne de cette conversation et me faire promettre de convaincre mes compagnons de ne pas laisser filtrer quoi que ce soit de ses confidences. Son mari s'était alarmé et l'avait convaincue de s'assurer de notre mutisme. Ils vivaient dans ce monde-là.

Le couloir britannique

Pendant cette tournée, nous sommes passés par Munich et, de là, nous devions nous rendre à Vienne. La veille du départ, je ne jouais pas. J'étais allé passer la soirée à la fameuse brasserie *Hofbräuhaus*, endroit extrêmement populaire et toujours bondé. Vers minuit, les gars du TNP ont rappliqué pour me dire que Rouvet, l'administrateur de la troupe, me cherchait partout. À ce qu'il paraît, je ne partais plus en train avec la troupe le lendemain matin et je devais voyager seul, en avion, de mon côté. Rouvet m'a expliqué que, en tant que citoyen canadien, je devais entrer à Vienne par le couloir britannique. Au lendemain de la guerre, Vienne était une plaque tournante de l'espionnage. Elle était, comme Berlin, occupée par les Français, les Britanniques, les Russes, et les ressortissants étrangers devaient y entrer par des couloirs géographiquement bien délimités. Avec mon passeport de citoyen britannique, je ne pouvais entrer à Vienne avec la troupe française dont je faisais partie.

J'ai donc pris l'avion, tout fin seul, pour Vienne. Une fois à l'aéroport, j'ai entendu au micro, avec l'accent du coin : « *Calling M. Provossst…** » Je me suis dit : « C'est moi, ça. » À tout hasard, je me suis rendu à l'endroit désigné. Un grand colonel des Indes, moustaches retroussées, cheveux roux, badine et tout, m'attendait et m'a dit : « *Would you follow me, please sir…*** » Je lui ai emboîté le pas avec ma petite valise. Il m'a amené dans son bureau et m'a fait asseoir, très poli, très correct. Mais voilà qu'il me fallait lui expliquer comment moi, Canadien, je me retrouvais à Vienne, alors que j'étais censé faire partie d'une troupe française de Paris qui s'appelait le TNP, que je n'étais pas avec la troupe et que je voyageais seul. Agacé,

* « On demande M. Provossst… »
** « Voulez-vous me suivre, s'il vous plaît, monsieur… »

j'ai commencé par lui dire que c'était à cause de leurs lois que je me retrouvais dans cette situation, que moi, Canadien français né à Hull au Québec, je faisais partie d'une troupe subventionnée par l'État français et que les autorités avaient exigé que j'entre à Vienne de cette façon. Il me fallait lui raconter ma vie, quoi! Cela a duré une bonne heure. Il m'a posé des questions, a téléphoné, a vérifié les réponses, m'a fait subir un interrogatoire serré pour, finalement, au bout d'une heure et avec le sourire, me proposer : « *Well, Guy, would you have a scotch? — Certainly, sir**. » Il a sorti la bouteille, nous avons pris un scotch tous les deux et il a appelé une estafette de service, un caporal, pour lui demander de me reconduire à mon hôtel en voiture. En tant que citoyen britannique, j'avais eu droit au traitement spécial!

Prise 9 : Le TNP au Québec et la tentation du retour

Nous devions partir en Égypte pour une tournée prévue pour septembre 1954. Mais il y avait des troubles politiques dans ce pays et le ministère des Affaires étrangères avait averti Vilar, dès le printemps précédent, qu'il ne pouvait assurer notre sécurité sur le territoire égyptien. Cela décevait grandement Vilar, dont la saison automnale tombait ainsi à l'eau, le retour à Chaillot n'étant prévu que pour la fin octobre. À Avignon, cet été-là, je lui avais suggéré de venir au Canada. Je connaissais bien René Garneau, l'attaché culturel du Canada à Paris — il n'y avait pas encore de représentant québécois en France ; on était Canadien ou Canadien français, mais pas encore Québécois. Il fallait trouver des ressources financières pour assurer le déplacement de la troupe et tout ce que cela comportait : décors, costumes, etc. Nous avons entrepris les démarches, chacun de notre côté, pour apprendre en août, que tout était réglé : l'Égypte serait remplacée par le Canada.

Nous avions décidé de présenter trois pièces : *Le Cid, Dom Juan* et *Ruy Blas*. Je ne participais qu'à cette dernière, dans une seule et

---

* « Bien, Guy, prendriez-vous un scotch ? – Certainement, monsieur. »

unique scène, mais quelle scène ! Celle qui démarre par : « Bon appétit, messieurs ! » J'y interprétais un ministre. Ma vanité d'acteur aurait été comblée de reprendre contact avec Montréal, devant mes parents, amis et camarades, avec quelque chose de plus substantiel !

Je renouais avec le Canada après cinq ans et demi d'absence. Je me suis rendu compte de l'effervescence qui régnait alors ici. Ce n'était plus le pays que j'avais quitté. Durant mon séjour, j'avais tellement travaillé à la télévision canadienne que j'ai demandé à Vilar de rester deux semaines au pays après le départ de la troupe, dans l'intention d'accumuler des sous pour me faciliter l'achat d'un appartement à Paris. Il n'aurait qu'à me faire remplacer pour la tournée en Pologne, et je les rejoindrais plus tard, pour le début de la saison à Chaillot. Il a accepté. C'est pendant cette période que j'ai pris conscience de tout ce qui se faisait ici. Au théâtre, le TNM, le Théâtre-Club, le Théâtre du Rideau Vert, l'Égrégore... Ça éclatait dans tous les sens, surtout à la télévision qui faisait grand usage de comédiens et de comédiennes. Jean Gascon et Jean-Louis Roux, de vieux compagnons des débuts, m'avaient dit : « Écoute, ne t'inquiète pas pour le travail si tu reviens. Nous t'envions d'être là-bas, mais au TNM tu seras le bienvenu. »

Originalement, la seule ville où nous devions jouer, pour une période de trois semaines, était Montréal. Les gens de Québec insistaient pour que nous allions aussi nous produire dans leur ville. À la dernière minute, le capitaine a accepté de retarder, jusqu'à minuit, l'embarquement sur le bateau qui devait rentrer au Havre, pour permettre à la troupe d'y jouer en matinée et en soirée.

Je suis retourné à Paris, mais ma récente expérience me trottait dans la tête. J'avais gagné en un mois de travail presque autant que ce que je gagnais à Paris en un an. Et puis, toujours ce problème de logement qui persistait, et le fils qui poussait... De plus, au Québec, ma femme Denise travaillait autant que moi en tant que comédienne et cela lui plaisait bien. À Paris, ça lui était plus difficile. Mais j'aimais Paris. Je n'ai jamais souffert du mal du pays ; j'aurais pu faire toute ma carrière en France. Je ne peux évidemment présumer de ce qui aurait pu se passer, mais je me sentais totalement adapté et à l'aise, au point de pouvoir passer d'une troupe à l'autre, d'un théâtre à l'autre. Montréal, dans mon souvenir, restait comme un gros village, malgré le fait que tout y était à faire.

À la fin de la saison, après la tournée en Europe de l'Est, quand est venu le temps de renouveler mon contrat au TNP, j'ai décidé d'aller rencontrer Vilar. Je l'ai mis au courant des démarches que j'avais entreprises pour m'acheter un appartement à Paris : c'était mon rêve ! Un appartement de cinq pièces coûtait à l'époque environ dix mille dollars. On disait là-bas, deux mille dollars la pièce. J'avais calculé que j'en gagnerais facilement le double en un an de travail au Canada, que je pourrais vivre avec la moitié du montant et réserver l'autre moitié pour l'appartement. Vilar était très sensible aux problèmes d'ordre personnel. Je lui ai confié mes hésitations à quitter la troupe que j'aimais beaucoup et où je me plaisais bien. Il m'a alors offert un congé sans traitement, et m'a suggéré d'aller passer une saison à Montréal. Si je souhaitais revenir, la porte du TNP me demeurait ouverte. Finalement, j'ai décidé de tenter l'aventure et de revenir gagner des sous pour m'offrir l'appartement. Je suis revenu au Canada en octobre 1955, en principe, pour un séjour d'un an.

Il s'est avéré que mes contrats obtenus à la télévision pendant la saison 1955-1956 étaient renouvelables. J'avais plus de propositions de travail, à la télévision et au théâtre, que je ne pouvais en accepter. Je devais donc, à la fin de cette année-là, prendre une décision extrêmement importante. J'ai passé deux jours et deux nuits sans dormir, à me tourmenter. Quelle était la meilleure décision ? D'une part, Denise travaillait beaucoup ici et je la sentais heureuse. D'autre part, elle n'était pas assurée de trouver du travail à Paris et nous retrouverions les conditions matérielles difficiles que nous connaissions trop bien. Après des jours de discussions, nous avons finalement décidé de rester. Je ne serais plus membre du TNP. C'était une décision extrêmement difficile à prendre. J'abandonnais une compagnie dans laquelle je m'épanouissais pour venir succomber ici, je le devinais, à l'esprit mercantile.

En ces étés de grâce à Avignon, et au cours des tournées, j'avais eu le temps de nouer de solides amitiés au sein de la troupe du TNP. Certaines durent encore aujourd'hui. Je pense particulièrement à ce bon vieux Maurice Coussonneau, que nous appelions « Couss », avec qui je me suis lié d'amitié dès mon arrivée dans la troupe, et que je revois toujours avec joie. Jean-Paul Moulinot, un des premiers compagnons de Vilar dans les années 1940, est disparu il n'y a pas si longtemps, alors qu'il était membre de la Comédie-Française. Plus âgé que moi, il m'avait en quelque sorte servi d'initiateur et m'avait aidé à m'intégrer dans la compagnie, ce dont je lui suis encore reconnaissant. La dernière fois que je l'ai vu, il s'était fait une joie de nous faire visiter « sa » Comédie-Française, dont la salle venait d'être rénovée. On aurait dit un jeune propriétaire venant d'acquérir sa première maison. Il rayonnait! Nous en sommes sortis trois heures plus tard, ma femme et moi, complètement fourbus! Il avait tenu à nous faire visiter son théâtre, de la cave au grenier. Et encore, nous n'avions pas tout vu!

Illustrations

Remerciements de l'éditeur

Nous remercions de leur collaboration Mmes Janine Le Coz et Agnès Varda, MM. Robert Etcheverry, Edward Remy, François Renaud et François-Xavier Simard, ainsi que la Cinémathèque québécoise, dont les photographies ont enrichi ce livre.

Nous remercions également l'Union des artistes et la Compagnie Jean-Duceppe de leur aide précieuse.

Nous exprimons, enfin, notre reconnaissance à la Société Radio-Canada, qui nous a aimablement autorisés à publier les photographies prises dans le cadre de téléromans diffusés sur ses ondes.

1. La famille Joseph Provost, vers 1906. De gauche à droite : Joséphine Provost, la grand-mère ; René, le père de Guy Provost ; Joseph, le grand-père. Au premier plan : Lucien, l'oncle de Guy Provost. (Photographe : J. Neville.)

2. Autour de la photographie de Louis Fréchette. Collège Notre-Dame de Hull, vers 1937. Guy Provost, dernière rangée, deuxième, à droite de la photographie de Fréchette. Au premier rang : à gauche, le frère Rodrigue, directeur du collège ; à droite, l'aumônier Couture. (Photographe non identifié.)

3. La classe du frère Roméo, 1938-1939. Guy Provost, troisième étudiant, assis, à partir de la gauche. (Photographe non identifié, [1938 ou 1939].)

4. Guy Provost à l'École technique de Hull, vers 1943. (Photographe non identifié.)

5. La troupe de René Provost, dans les années 1940. Au premier plan : René Provost. Première rangée : à droite, Gisèle Provost ; au centre, Arthur Saumier. Deuxième rangée, à partir de la droite : Marie-Jeanne Provost et Hélène Rocque. Troisième rangée, à partir de la droite : premier, Rhéal Guévremont ; troisième, Jean Provost ; quatrième, Guy Provost. (Photographe non identifié, [entre 1940 et 1945].)

6. La tournée militaire de la troupe Provost, août 1943. De gauche à droite : Laurette Amyot, Simonne Desmarais, Paulette de Courval (au volant), June Lamarche, Gisèle Provost, le commandant du camp militaire, Marie-Jeanne Provost, Paul Fréchette et Édouard Rainville. (Photographe non identifié.)

René PROVOST
Directeur

"LES AMIS ENRG."
DE HULL, QUÉ.

présentent

dans   les

Camps Militaires
du District No 4

"Le Tampon du Capiston"
Comédie en trois actes de Mouëzy-Eon, Vercourt et Bever

■

Les Camps visités:

Août le 9, Dépôt du District No 4		Longueuil
Août le 10, C.A. (B) T.T.C. 45		Sorel
Août le 11, C.A. (B.) T.C. 43		Sherbrooke
Août le 12, C.I.T.C. A-12		Farnham
Août le 16, C.O.C. & B.T.C. 44		St-Jérôme
Août le 17, C.A.E. (B) T.C. 42		Joliette
Août le 18, C.A. (B) T.C. 47		Valleyfield

■

Cette tournée a été rendue possible grâce aux commanditaires suivants:

La Cité de Hull,

Hull Iron Steel Limited,

E. B. Eddy Co., Limited,

Plusieurs distingués personnages, sympathiques à la cause du
soldat canadien-français

■

**M. F.-Ernest ST-JEAN, échevin, délégué par Son Honneur le Maire
Raymond BRUNET pour représenter la Ville de Hull.**

7. Programme de la tournée militaire de la troupe Provost, août 1943.

8. La famille René Provost, vers 1947. Marie-Jeanne, la mère; Gisèle, la sœur; Jean, le frère; René, le père; et Guy Provost, au premier plan. (Photographe : Lucien RACINE.)

9. La Centrale, à Vaudreuil, octobre 1946. Jean Alie, à gauche, et Guy Provost, à droite. (Photographe non identifié.)

10. *Antigone*, de Jean Anouilh. Les Compagnons de saint Laurent, au Gesù, 25 mai au 2 juin 1946. De gauche à droite : Guy Provost (Garde 2), Georges Groulx (Garde 1), Jean Coutu (Hémon), Thérèse Cadorette (Antigone), et Jean-Louis Roux (le chœur). (Photographe non identifié.)

11. Chez René Provost, au 144, rue Kent, à Hull, vers 1947. De gauche à droite : Hélène Loiselle, Georges Groulx, Lucille Cousineau, Guy Provost et Denise Vachon. À l'arrière : Jean, Marie-Jeanne, Gisèle et René Provost. (Photographe non identifié.)

12. *Le Duel*. Troupe de René Provost, avril 1947. De gauche à droite : première rangée, René Provost, Denise Vachon, François Rozet, Guy Provost ; deuxième rangée : Laurent Desloges, Rhéal Guévremont, Hélène Rocque et Jean Alie. (Photographe non identifié.)

13. *Maluron*, de Félix Leclerc. Les Compagnons de saint Laurent, mars 1947. De gauche à droite : Georges Groulx (Chalumeau) et Guy Provost (Marcheglotte). (Photographe non identifié.)

14. *Le Médecin malgré lui*, de Molière. Les Compagnons de saint Laurent, London (Ontario), mai 1947. Trophée Bessborough. De gauche à droite : Jean Coutu, Guy Provost, Thérèse Cadorette, Georges Groulx, Lucille Cousineau, Denise Vachon et Yves Létourneau. (Photographe : A. A. GLEASON.)

15. Les Compagnons de saint Laurent en tournée à Sainte-Anne-de-la-Pocatière, novembre 1947. De gauche à droite, première rangée : Jean Coutu, Yves Vien, Andrée Vien-Leclerc, Hélène Loiselle, Lucille Cousineau, Denise Vachon et Thérèse Cadorette ; deuxième rangée : Bertrand Gagnon, Félix Leclerc, Guy Provost, Georges Groulx et le père Émile Legault. (Photographe non identifié.)

16. *La Goutte de miel*, de Léon Chancerel. Les Compagnons de saint Laurent, au Gesù, janvier et février 1948. De l'avant vers l'arrière : Jean Coutu, Bertrand Gagnon, Guy Provost, Robert Prévost et Yves Létourneau. (Photographe non identifié.)

17. *Antigone*, de Jean Anouilh. Les Compagnons de saint Laurent, au Festival régional d'art dramatique, 1948. Trophée Martha Allan. Première rangée, au centre : Thérèse Cadorette. Deuxième rangée, à partir de la droite : deuxième, Camilien Houde, maire de Montréal ; troisième, Guy Provost. (Photographe : R. CARRIÈRE, *La Presse*.)

18. *Antigone*, de Jean Anouilh. Les Compagnons de saint Laurent, Ottawa, mars 1948. De gauche à droite, assis : Thérèse Cadorette, [comédien non identifié], Guy Provost et Denise Vachon ; debout : [comédien non identifié], Yves Létourneau, Georges Groulx, Jean Coutu, Lucille Cousineau, Guy Bélanger, Hélène Loiselle, Bertrand Gagnon. (Photographe : Paul Taillefer, *Le Droit*.)

19. Remise de la bourse de Duplessis, Hull, 1948. De gauche à droite : [personne non identifiée], Thérèse Cadorette, Mᵉ Bédard, Alexandre Taché, Guy Provost, Denise Vachon, M. Laverdure, [personne non identifiée], Jean Despréz, M. Brunet, maire de Hull, René Provost. (Photographe : Florian Thibault.)

20. *Un homme et son péché*, film réalisé par Paul Gury et produit par Québec Production Corps. 1949. Scène de maquillage. Au centre, Guy Provost (Alexis Labranche); à droite, Nicole Germain (Donalda). (Photographe : R. Gariépy. Le fonds Gariépy est conservé à la Cinémathèque québécoise.)

21. *Polyeucte*, de Corneille. La Comédie de Saint-Étienne, novembre 1950. Guy Provost (Sévère) et Jeanne Girard (Pauline). (Photographe non identifié.)

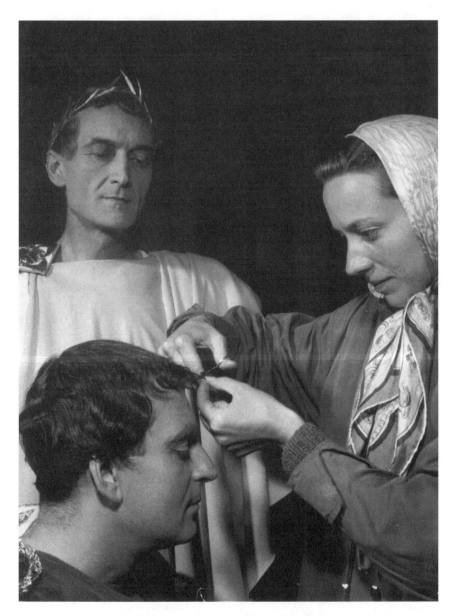

22. *Cinna*, de Corneille. Théâtre national populaire, 1954. Guy Provost en train de se faire couper les cheveux par Monique Chaumette, sous l'œil attentif de Jean Vilar. (Photographe : Agnès VARDA.)

23. Jean Gascon, Denise Provost, Jean-Louis Roux et Guy Provost, vers 1958. (Photographe non identifié.)

24. Guy et Denise Provost, vers 1960. (Photographe non identifié.)

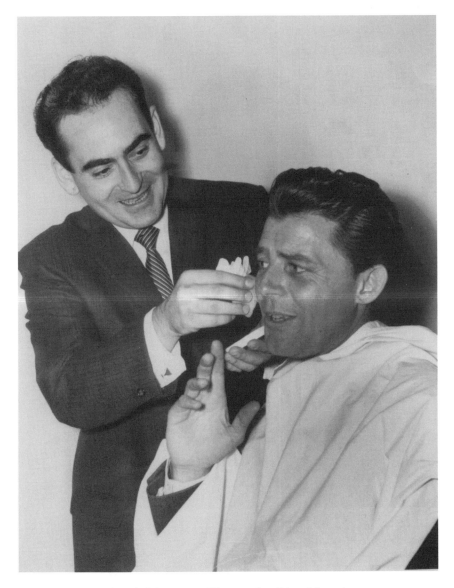

25. Guy Provost et Gérard Philipe, 1959. (Photographe : Edward Remy.)

26. *Un homme et son péché*, film réalisé par Paul Gury et produit par Québec Production Corps, 1949. Guy Provost, dans le rôle d'Alexis Labranche. (Photographe : R. GARIÉPY. Le fonds Gariépy est conservé à la Cinémathèque québécoise.)

27. *Les Belles Histoires des pays d'en haut*, de Claude-Henri Grignon. Téléroman diffusé sur les ondes de Radio-Canada. Guy Provost, dans le rôle d'Alexis Labranche. (Photographe : André Le Coz, [entre 1966 et 1970].)

28. *Évangéline Deusse*, d'Antonine Maillet. Théâtre du Rideau Vert, 1976. Viola Léger (Évangéline Deusse), Guy Provost (Le Breton), Paul Guévremont et André Cailloux. (Photographe : André Le Coz.)

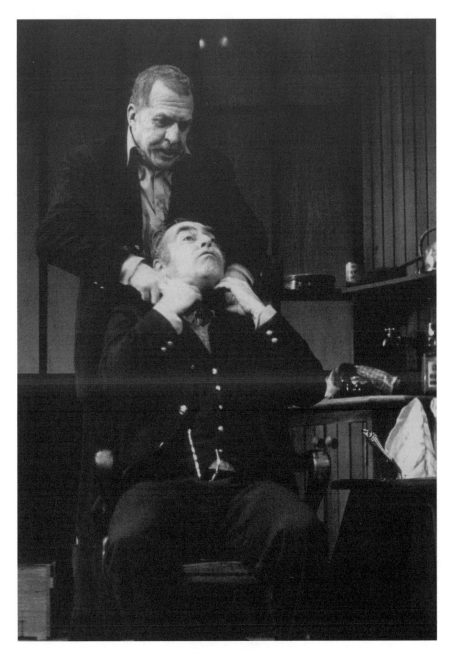

29. *Les Aiguilleurs*, de Brian Phelan. Théâtre du Nouveau Monde, 1979. Guy Provost (Albert) et Jacques Godin (Alfred). (Photographe : André Le Coz.)

30. *Un parc en automne*, de Louise Maheux-Forcier. Café de la Place, 1982. Guy Provost (Jean) et Françoise Faucher (Marie). (Photographe : André Le Coz.)

31. *Bonjour, là, bonjour*, de Michel Tremblay. Théâtre du Nouveau Monde, 1987. Nicole Leblanc (Denise), Denise Filiatrault (Lucienne), Henri Chassé (Serge), Louise Laprade (Monique), Sylvie Drapeau (Nicole) et Guy Provost (Armand). (Photographe : Robert Etcheverry.)

32. *Robert et Compagnie*. Téléroman diffusé sur les ondes de Radio-Canada, 1987-1989. Guy Provost (Louis-Joseph Martineau) et Françoise Faucher. (Photographe : André Le Coz, 8 mars 1988.)

33. *Douze hommes en colère*, de Reginald Rose. Compagnie Jean-Duceppe, Salle Albert Rousseau (Sainte-Foy), 1988. Dans la loge, avant la représentation : Guy Provost (juré # 3) et Jean Duceppe (juré # 9). (Photographe : Andrée PROVOST.)

34. *Le Long Voyage vers la nuit*, de Eugene O'Neill. Compagnie Jean-Duceppe, 1989. Guy Provost (Jim Tyrone) et Françoise Faucher (Mary Tyrone). (Photographe : François RENAUD.)

35. Cinquantième anniversaire de la vie artistique de Guy Provost. Hull, 1996. Suzanne Provost, Jean-Louis Roux, Guy Provost, Yves Ducharme, maire de la Ville de Hull, Gilles Provost, directeur du Théâtre de l'Île. (Photographe : François-Xavier SIMARD.)

Chapitre IV

Retour au pays : jeux de rôles

Gérard Philipe ? Voyons donc, le Cid, c'est supposé
être un homme, non ? Attends qu'y le fassent
à la télévision avec Guy Provost ou ben donc
Jean Gascon ! Gérard Philipe ! Pourquoi pas
Jean Tissier tant qu'à y être ? En attendant,
lis le livre à voix haute, ça va faire pareil.
Michel TREMBLAY, *Douze coups de théâtre*

À MON RETOUR, j'ai été frappé et déçu en même temps des conditions dans lesquelles évoluaient les professionnels du théâtre au
Québec. Cette situation n'était pas attribuable aux individus, mais à
l'insuffisance des moyens financiers. À Chaillot, nous étions tellement structurés et organisés ! Ici, il n'y avait à peu près pas de subventions pour le théâtre. La salle de répétition du TNM, rue
Sanguinet, était un garage désaffecté, mal chauffé, mal éclairé. Les
Variétés lyriques avaient laissé le Monument-National, et personne
n'avait repris la salle. La vieille Comédie canadienne tombait en
ruine. Nous jouions à l'Orpheum, un ancien cinéma qui, finalement,
était une belle salle. Et ne parlons pas des cachets : nous faisions ça

pour le plaisir, pour le luxe. Je me souviens que, tous les soirs, nous nous retrouvions au restaurant Chez son père ou au *400*, rue Drummond, pour manger un morceau avant d'aller dormir. C'était entendu que le cachet de la soirée y passait! Ça ne faisait pas partie des gains que nous rapportions à la maison. C'était du luxe : on jouait, on s'amusait, on mangeait et on claquait le cachet!

Je me suis rendu compte que m'intégrer dans une troupe établie comme le TNM, dont les membres avaient travaillé très dur, n'allait pas être facile. Ceux qui avaient présidé à sa fondation se réservaient les bons rôles, c'était normal. J'avais beau avoir abondamment discuté avec eux de la fondation de la troupe lors de notre séjour à Paris, je n'étais pas rentré au pays en même temps qu'eux. Ils avaient dû affronter d'énormes difficultés pour mettre le TNM sur pied. On se sent toujours un peu en retrait lorsque l'on arrive dans une troupe sans avoir participé à ses débuts; on n'est pas tout à fait considéré comme faisant partie de la « gang ». D'autant plus que nous étions plusieurs à vouloir les mêmes rôles : Jean et Gabriel Gascon, Jean Dalmain, Jean-Louis Roux et moi, entre autres. Nous avions tous à peu près le même profil. J'ai vite compris que ça se bousculait au portillon… Georges Groulx, quant à lui, était un peu à l'écart; il était tellement typé comme comédien! J'ai joué à plusieurs reprises avec le TNM, mais ce qui m'a particulièrement fasciné, c'est le nouveau jouet qui s'appelait télévision.

Il régnait un climat d'effervescence qui rendait ce nouveau média stimulant et extrêmement passionnant. On y montait des œuvres importantes et on nous proposait des rôles en or. Tout le monde mettait l'épaule à la roue. Il suffisait d'avoir une idée originale et on trouvait moyen de la concrétiser. Radio-Canada, à l'époque, était une porte ouverte sur la culture. Les pionniers y ont vraiment accompli un travail fantastique. C'était un territoire vierge, tout était à faire. Certains comédiens affichaient du mépris pour la télévision. Moi, je ne voyais pas ce qu'il pouvait y avoir de déshonorant à interpréter Montherlant, Claudel ou Camus à la télévision plutôt qu'à la scène. Au contraire, il y avait là une occasion extraordinaire d'atteindre les francophones des coins les plus reculés du pays. Par exemple, en 1956, nous avons joué *L'Annonce faite à Marie* de Claudel devant un million et demi de personnes peut-être! C'était l'époque des grands téléthéâtres, des œuvres du grand répertoire! D'autres voyaient d'un mauvais œil ceux qui s'adonnaient à la publicité commerciale. Encore là, je ne voyais pas ce qu'il pouvait y avoir de honteux à gagner honnêtement sa vie en vendant un produit, n'ayant pas par le fait même à aller quêter des subsides ou des subventions à l'Union des artistes… Il m'est arrivé d'en faire de la publicité, la plupart du temps en voix hors champ.

Il y avait donc un clivage entre ceux qui ne juraient que par la scène, le théâtre avec un grand T, et ceux qui faisaient de la télévision, considérée comme étant plus commerciale. Avec le temps, cela s'est aplani. Il ne faut pas oublier que c'est grâce à elle si nous avons pu faire du théâtre. Il fallait bien gagner notre vie! J'ai toujours pensé que la télévision avait été le plus grand mécène du théâtre au Québec, Radio-Canada en particulier. À l'époque, nous y rencontrions des gens de tous les milieux artistiques. Ce jouet subventionné à coups de millions nous paraissait sans limites. Quand quelque chose se bâtit, c'est toujours passionnant d'y participer, les occasions pleuvent. Encore aujourd'hui, personne ne peut vivre exclusivement du théâtre au Québec. Nous gagnons notre vie avec la télévision et nous faisons du théâtre par passion.

La télévision

À notre premier retour de Paris, après cinq ans et demi d'absence, un soir Denise et moi nous sommes retrouvés en famille autour de la table en train de deviser et de nous raconter des anecdotes, quand l'indicatif musical de *La Famille Plouffe* s'est fait entendre. D'un seul coup, tout le monde a quitté la table et s'est précipité au salon. J'ai trouvé l'expérience assez vexante : me faire planter là et imposer le silence pour une émission de télévision! C'est dire la puissance de cette « bébelle », cette invention qui rend toute conversation impossible. En face de l'appareil, les gens ne peuvent plus converser ni discuter. « Ce vice impuni qu'est la lecture et cet art exquis qu'est la conversation… » comme écrivait Valery Larbaud, avec la télé, ça n'existe plus, en particulier au Québec où déjà on ne lit ni ne converse pas plus qu'il ne faut. Mais gagner notre vie au petit écran nous dégageait de certains soucis matériels, ce qui nous permettait de travailler au théâtre sans trop nous inquiéter du lendemain. À l'époque, à la télévision, on cherchait, on innovait, on faisait des expériences. C'est ce qui la rendait si attirante.

Quand on pense au mandat que Vilar s'était donné avec le TNP, on pourrait presque établir un rapprochement avec celui du Radio-Canada de l'époque : faire connaître au plus grand nombre possible et aux gens de tous les milieux, les grandes œuvres du théâtre classique et contemporain. Radio-Canada a rempli cette mission avec les moyens modernes qu'offrait la télévision. C'était prodigieux et tous la découvraient en même temps. Les administrateurs de Radio-Canada étaient le plus souvent des hommes de goût, des hommes de terrain qui avaient fait du théâtre ou de la musique et qui savaient ce qui en était. Ils faisaient autre chose que d'aligner des colonnes de chiffres et gérer « la décroissance » ! Ils laissaient carte blanche aux créateurs, leur fournissaient les sous et le matériel de production.

Radio-Canada a eu le temps d'ouvrir les vannes de la connaissance avant de sombrer dans le piège de la lutte aux cotes d'écoute. Avant l'arrivée de Télé-Métropole, elle était seule en ondes et aurait pu s'aligner sur le modèle de la BBC, une télévision publique, sans commanditaire aucun. Évidemment, cela aurait coûté très cher. On a hésité. Déjà, lors de la grève des réalisateurs en 1959, cela a commencé à flamber un peu. Quand les gens apprenaient que les subventions dépassaient le demi-million, ils devenaient verts… Aujourd'hui, il faudrait aller dans je ne sais quoi pour leur donner une petite teinte ! Tout le monde politique gueulait contre Radio-Canada parce que, finalement, tous les partis voulaient se l'approprier, en faire un instrument de propagande, comme dans la plupart des pays du monde d'ailleurs, il ne faut pas se le cacher. La BBC a toujours réussi, du moins d'un point de vue extérieur et sans qu'on sache trop comment, à rester en dehors des bagarres politiques et à devenir une télévision extraordinaire. Au début, c'était un peu le modèle des responsables de notre télévision.

Depuis, Radio-Canada s'est effritée. La boîte que j'ai connue s'est détériorée, désorganisée petit à petit et est devenue ce qu'on voit maintenant… On a voulu imiter Télé-Métropole qui, elle, imitait les Américains. Et Radio-Canada, la télévision d'expression française du moins, y a laissé son identité. On a voulu aller chercher des téléspectateurs à tout prix et, finalement, cela nous a coûté très cher. On a perdu un public qui trouvait sa pitance à Radio-Canada, et qui a préféré faire autre chose que de regarder la télévision. Il faut croire que ce que nous faisions n'était pas si mauvais puisqu'on rediffuse encore abondamment les émissions de ce temps-là.

Au début, je me suis laissé prendre corps et âme par la télévision. Dès la première année, j'avais mes trois demi-heures régulières : *La Famille Plouffe,* en français et en anglais, et, à partir de 1956, l'animation d'une série pour enfants et adolescents, *La vie qui bat.* S'ajoutaient à ces séries, les nombreux téléthéâtres présentés à Radio-Canada.

Le père Alexandre Plouffe

Roger Lemelin m'avait vu jouer dans *Montserrat,* un téléthéâtre présenté sur les ondes de Radio-Canada en 1955, qui avait obtenu un très grand succès. Pour cette réalisation, Georges Groulx avait gagné le prix de la mise en scène et moi, celui de l'interprétation, lors du gala organisé par le journal *Télé-Radiomonde.* Ce fut vraiment mon premier succès populaire, et ce rôle allait asseoir ma carrière future. Je venais tout juste de rentrer chez moi après la diffusion, quand Lemelin m'a téléphoné au beau milieu de la nuit pour me féliciter et m'annoncer qu'il me créerait un rôle dans *La Famille Plouffe.* C'est ainsi qu'est né le personnage du père Alexandre, dominicain, que les téléspectateurs confondaient souvent avec un père blanc d'Afrique en raison, sans doute, de la couleur de la soutane. À cette époque, Radio-Canada nous embauchait pour trois émissions seulement et, si ça marchait, on renouvelait notre contrat par la suite. Comme on ne voulait pas investir dans l'achat d'une soutane, on avait demandé au père Desmarais — qui avait sa propre émission à Radio-Canada — de m'en prêter une pour les trois premières émissions. J'ai donc débuté dans le personnage du père Alexandre, fils de Gédéon Plouffe, avec la soutane du père Desmarais! L'équipe de *La Famille Plouffe* était tellement unie qu'on avait l'impression d'être un étranger quand on arrivait, comme moi, plus tard. Le plateau des Plouffe était une vraie partie de plaisir, allant même quelquefois jusqu'à la désinvolture. Une fois en ondes, tout le monde se ressaisissait, mais les répétitions frisaient parfois l'anarchie.

Quand je me suis mis à jouer dans les téléromans, il m'a fallu refaire tout un travail sur la langue : j'avais maintenant un accent français dont je devais me départir. Cet accent chicotait Lemelin à un point tel que je lui avais suggéré de régler la question en faisant étudier le père Alexandre à Paris ou à Rome. Ce qu'il a fait d'ailleurs. Mais le problème allait se compliquer, plus tard, quand j'ai repris le rôle d'Alexis dans *Les Belles Histoires des pays d'en haut*. Parfois, Claude-Henri Grignon me téléphonait après l'émission pour me rappeler : « Écoute Provost, Alexis n'a jamais fait les chantiers à Paris… » Bref, de ce côté, tout était à refaire, mais en sens inverse. Dans les téléromans, étant donné que ça se passait chez nous, il fallait retrouver l'accent d'ici, mais ce n'était pas encore le cas dans les téléthéâtres. De toute façon, il y avait toujours un écart entre la langue de la télévision et la langue de la rue. Le langage des personnages de Michel Tremblay ne régnait pas encore en maître au petit écran. Quand on réécoute les téléromans de cette époque, on s'aperçoit qu'on utilisait tout de même une langue bien articulée. Dans les téléthéâtres, tout le monde essayait de jouer à la française, avec plus ou moins de succès. Ça fait curieux d'écouter ça aujourd'hui… un peu artificiel!

Chaque semaine, nous faisions en direct *Les Plouffe* en français et en anglais. C'était retransmis d'un océan à l'autre. Affolant! Des comédiennes comme Amanda Alarie et Nana de Varennes ne parlaient pas un mot d'anglais. Elles apprenaient au son. Nous répétions le lundi et le mardi. Le mercredi, nous étions en studio de huit ou neuf heures le matin jusqu'au direct, le soir à huit heures. Le jeudi, nous répétions de nouveau avec un « coach », le journaliste Ken Johnson du *Montreal Star*, pour parfaire notre anglais. Il avait un sapré boulot… Il travaillait fort, surtout avec Mmes Alarie et de Varennes. Il les faisait répéter phonétiquement. Le vendredi, nous revenions en studio pour la version anglaise. Nous nous retrouvions donc en répétition cinq jours par semaine. Le réalisateur, Jean-Paul Fugère, s'arrangeait toutefois pour que notre présence ne soit requise que pour nos scènes seulement. L'horaire était assez flexible sauf pour les journées du direct, le mercredi et le vendredi, où nous devions passer la journée à répéter avec les techniciens.

Quand nous jouions en anglais, Mme Alarie avait trouvé un truc contre les trous de mémoire. Quand cela se produisait, elle enchaînait tout simplement en français. Carrément. Il paraît que les Anglais adoraient ça : ils se rendaient bien compte que certains francophones avaient de la difficulté à s'exprimer en anglais. Pendant plusieurs années, la même équipe a joué chaque semaine *La Famille Plouffe* dans les deux langues. Doris Lussier, qui se méfiait de sa mémoire, écrivait ses textes à la craie, en français sur les murs et en anglais sur le plancher. C'est ainsi qu'il interprétait le père Gédéon la tête en l'air en français et la tête en bas en anglais. Je me demande encore si les téléspectateurs n'ont jamais remarqué cette anomalie !

Je pense que je ne m'en tirais pas trop mal en anglais si ce n'est d'un fameux trou de mémoire. J'avais une scène à jouer avec Émile Genest (Napoléon). Je l'avais convoqué dans ma bibliothèque pour lui annoncer quelque chose d'important. Il est arrivé, j'ai commencé ma réplique : « *I have something very important to tell you Poléon…** » Là, j'ai eu un trou de mémoire total. Il ne pouvait pas m'aider

---

* « J'ai quelque chose de très important à te dire, Poléon… »

puisque c'est moi qui l'avais convoqué pour lui dire quelque chose ! Alors, il me regardait, affolé, et… attendait. Finalement, au bout de deux ou trois secondes qui m'ont paru une éternité, comme ça ne venait pas, tout ce que j'ai trouvé à dire c'est : « *Well, you know what I mean…** » Et il a ajouté : « *Oh yes, yes, I know what you mean…*** » Mais les spectateurs anglophones, eux, ne l'ont jamais su ! Ils ont bien dû se demander ce que je voulais lui dire. Le réalisateur, Fugère, a rapidement coupé pour enchaîner avec la scène suivante qui se passait à l'hôpital, où Roland Bédard (Onésime) attendait tranquillement au pied du lit où Denise Pelletier (Cécile) était couchée, sans se douter que la lumière de la caméra s'allumerait aussi vite pour lui. Décontenancé et distrait, il a bondi sur ses pieds et a démarré maladroitement sa scène. Il n'était pas prêt, évidemment. C'est un de mes pires souvenirs. Et j'ai probablement été le comédien le mieux payé du Québec cette fois-là, n'ayant pas joué du tout !

Je me souviens aussi d'un sermon assez long que je devais faire dans le temps des Fêtes et qui m'inquiétait. Pour moi, il n'y a rien de plus énervant qu'un monologue, que ce soit à la scène ou ailleurs, sans partenaire pour vous donner la réplique. Parler comme ça dans le vide, tout seul, et en anglais en plus ! Un monologue, c'est effrayant pour un comédien, c'est un tunnel. Quand on s'embarque là-dedans on n'a rien pour s'appuyer, rien pour se stimuler. J'avais donc demandé à Jean-Louis Roux de se coucher à mes pieds dans la chaire, là où il ne pourrait être vu, avec le texte. Ça m'a sécurisé et je n'en ai pas eu besoin. Lorsque nous jouions en anglais, le réalisateur était assez indulgent. Il savait qu'il nous demandait un effort — après tout, ce n'était pas notre langue —, et cela nous ennuyait souvent d'avoir à jouer dans une autre langue. Nous le faisions pour le cachet, au fond. En réalité, c'était Johnson, notre « coach », qui travaillait le plus fort là-dedans.

---

* « Bien, tu sais ce que je veux dire… »
** « Oh oui ! Je sais ce que tu veux dire… »

La série a été suivie par *En haut de la pente douce* et *Le Petit Monde du père Gédéon*. Pendant au moins sept ans, j'ai interprété le personnage du père Alexandre. J'ai souvent joué dans de longues séries, dans des émissions qui obtenaient un certain succès. J'ai eu la chance d'interpréter des « bons gars ». Ça ne m'a pas trop abîmé! Ceux qui jouaient des vilains trop longtemps pouvaient être détestés du public, surtout en région. Un jour, j'étais allé manger avec Jean-Pierre Masson, l'interprète de Séraphin, au café des Artistes, à côté de Radio-Canada. Une dame s'est précipitée sur nous, s'adressant à moi en ces termes : « Comment faites-vous pour manger avec lui? » Je croyais qu'elle blaguait, mais elle était sérieuse. Elle est partie furieuse en réitérant que je la décevais beaucoup. Les gens confondaient encore le personnage et le comédien.

Pendant que j'interprétais le rôle du père Alexandre, il m'est arrivé plusieurs anecdotes de ce genre. J'avais reçu une lettre d'une vieille dame hospitalisée, à l'article de la mort. Elle m'écrivait que son plus cher désir serait de recevoir la visite du père Alexandre. Sur le coup, j'ai pensé à une de ces émissions-surprises où l'on joue des tours aux artistes. Mais en relisant la lettre, l'écriture tremblotante m'est apparue des plus authentiques. Je me suis donc rendu à son vœu et suis allé la visiter à l'hôpital, habillé en civil toutefois. C'était assez bizarre comme rencontre, troublant, un peu inquiétant même. Je sentais qu'elle était consciente et qu'elle jouait un rôle en même temps. Elle savait que je n'étais pas vraiment le père Alexandre, mais elle voulait y croire. J'ai senti que cela lui plaisait ainsi. Elle m'appelait « mon père ». Je n'ai pas poussé le jeu jusqu'à l'appeler « ma fille », mais je ne l'ai pas démentie non plus. Peu de temps après, j'ai appris qu'elle était morte.

Une autre fois, en revenant des Laurentides avec ma famille, je suis arrivé le premier sur les lieux d'un accident. Il y avait une automobile dans le fossé, et un corps gisait sur la chaussée. Ça venait tout juste de se produire. Je suis descendu de voiture, un peu énervé, et j'ai vu une dame étendue, sans connaissance, en travers du chemin. J'avais toujours une petite bouteille de cognac dans le coffre à gants. Je suis allé la chercher, lui ai soulevé la tête et ai versé du cognac entre ses lèvres. Elle a grimacé un peu, a ouvert un œil et s'est exclamée : « Mon Dieu, le père Alexandre ! » J'étais penché au-dessus d'elle et je me suis dit : « Ça y est, je l'ai achevée. » C'est dire la puissance de mystification de ces émissions-là, fort probable-ment davantage à cette époque qu'aujourd'hui. Il n'y avait qu'une chaîne de télévision. Nous étions vus partout, nous entrions dans toutes les maisons, quasiment par effraction. Les gens ouvraient l'appareil, il n'y avait que nous. Tout le monde regardait les mêmes émissions. Alors… pas étonnant que lorsque nous entrions en scène au théâtre, nous entendions les spectateurs murmurer les noms de nos personnages à la télévision, le père Alexandre, Cécile ou Ovide… Cela avait le don de mettre Denise Pelletier en rogne. Elle bouillait, littéralement.

La vie qui bat

Beaucoup de projets se mettaient en branle au restaurant Le 400, rue Drummond. Tout le monde de la télévision se rencontrait là, à un moment ou l'autre. C'était sympathique et pas trop cher. Les réalisateurs, les auteurs, les comédiens, enfin tout ce qui bougeait dans le monde du spectacle s'y retrouvait. C'était un peu le repaire de la colonie artistique, comme on disait. Un midi, Fernand Seguin est passé près de ma table et m'a dit qu'il avait quelque chose à me proposer. Il s'agissait d'animer une émission portant sur la faune et la flore du Québec et s'adressant aux jeunes. Je lui ai dit : « Mon pauvre Fernand, j'ai peine à distinguer un chien d'un chat. Je ne vois pas très bien ce que je pourrais aller faire là. » Il m'a répondu de ne pas m'inquiéter, qu'il composerait les textes. Comme comédien, je n'aurais qu'à les apprendre. Au départ donc, je fonctionnais avec les textes de Seguin, mais dès l'année suivante, il avait trop de travail pour continuer et c'est François Varon qui a pris la relève.

J'ai animé cette émission pendant une bonne dizaine d'années, à partir de 1956. J'ai vite pris goût à mon sujet et je me suis abonné à un lot de magazines portant sur la faune et l'écologie. J'ai essayé d'en apprendre le plus possible. Au début, nous travaillions à partir d'un schéma un peu brut. Comme je n'y connaissais à peu près rien, je ne me risquais pas beaucoup. Mais graduellement, je me suis mis à modifier quelque peu les textes. J'aimais bien cela parce que j'apprenais. D'ailleurs, il n'y a rien de tel pour apprendre que d'être professeur. Moi qui ignorais tout de ce monde-là, je me suis mis à la chasse et à la pêche. Entre deux prises de vue — nous tournions beaucoup en extérieur à partir de la troisième année, dans les forêts du Québec et dans les réserves fauniques aux États-Unis —, nous en profitions pour jeter nos lignes à l'eau. J'y ai pris goût.

L'émission était diffusée en direct du petit studio 19 de Radio-Canada. Elle était très populaire auprès des adolescents. J'imagine que l'amour de la nature est inné chez les jeunes, et il n'y avait pas tellement d'émissions s'adressant à eux sur ce sujet. Même mes propres enfants l'écoutaient et participaient aux concours, sans aucune chance de gagner, il va sans dire! Nous recevions des ballots de lettres, des dessins et des réponses à nos concours. On m'avait emmené dans une pièce réservée à notre courrier, et j'y avais vu des sacs énormes, remplis à craquer. J'en étais estomaqué. Nous faisions ça très sérieusement : un jury déterminait la qualité des dessins et donnait des prix offerts par des commanditaires, des équipements de camping ou du matériel de plein air, par exemple.

Les charmes du direct

Ce n'était pas facile de poursuivre une carrière au théâtre en même temps. J'ai vu des répétitions de téléthéâtre se tenir entre minuit et trois heures du matin pour pouvoir réunir tout le monde. Je me souviens d'avoir joué, en 1958, dans quinze téléthéâtres en une seule année, un de plus que Jean Duceppe qui travaillait énormément de son côté lui aussi. C'était un peu l'âge d'or des téléthéâtres. Et en direct en plus, devant les caméras et devant le public. Il fallait connaître nos répliques. Comment nous réussissions à apprendre tous ces rôles me dépasse encore! C'était une période où nous nous déplacions toujours avec un ou deux textes en poche. Aussitôt que nous avions cinq minutes, au lieu de bavarder, nous nous isolions pour apprendre, apprendre, apprendre... L'expérience acquise au TNP, théâtre d'alternance, m'a beaucoup servi en ce sens. Nous pouvions jouer plusieurs pièces différentes dans une semaine, par exemple, *Ruy Blas*, le lundi et le mardi, *Lorenzaccio* ou *La Mort de Danton*, le mercredi. Il pouvait aussi nous arriver d'être dix jours sans interpréter un rôle et d'avoir à le reprendre la semaine suivante. À ce moment-là, le texte était moins frais à la mémoire.

Quand le TNP est revenu ici en 1959, j'étais en pleine production. Je travaillais énormément et j'avais invité Gérard Philipe chez moi. Je lui avais raconté que je répétais ceci et que j'apprenais cela. Un peu ébahi, il m'a dit, avec son beau sourire charmeur : « Es-tu sûr d'être bon dans tout ça ? » Je n'ai pas osé répondre. C'était une époque un peu folle, mais passionnante en même temps. Nous travaillions beaucoup, peut-être trop. J'avais plus d'offres que je ne pouvais en accepter. Et pas toujours des rôles faciles. Il fallait choisir. La plupart du temps, je choisissais en fonction du rôle, bien sûr, et de l'auteur, mais aussi du réalisateur et de l'horaire des répétitions. Radio-Canada n'était pas encore centralisée et il fallait parfois traverser la ville pour se rendre d'une salle de répétition à l'autre : chez Dinty Moore, rue Stanley ou boulevard Dorchester, au-dessus d'une taverne. Des courses folles. Il nous arrivait de nous démaquiller et de changer de vêtements dans le taxi qui nous menait du studio de télévision à la salle de théâtre, avant de sauter en scène dans la peau d'un autre personnage. Moi qui aimais arriver dans ma loge une heure avant le lever du rideau, je n'appréciais pas beaucoup ce rythme un peu fou.

Paradoxalement, il y avait, à l'époque, moins de comédiens inscrits à l'Union des artistes et cinq fois plus de productions à Radio-Canada. C'est ainsi que nous nous partagions tous les rôles. Pour qui voulait travailler, le boulot ne manquait pas. En plus, il y avait beaucoup de comédiens d'un certain âge qui n'avaient pas l'entraînement pour jouer en direct. Ils étaient habitués à la scène, là où il existe une certaine distanciation par rapport au public, ou encore, à la radio, texte en main. Au théâtre, malgré les éclairages aveuglants et la présence du public, le comédien est quand même dans son aire de jeu. Il peut s'isoler. Il y a comme un quatrième mur entre lui et le public. Dans un studio de télévision, il faut se transporter d'un décor à l'autre en faisant parfois des changements de costumes ahurissants, n'importe où, n'importe comment. Il est facile de perdre sa concentration. Ça prend des nerfs d'acier. Certains comédiens, moins jeunes, refusaient de jouer à la télévision. Ils préféraient la scène ou la radio.

Quatre réalisateurs principaux étaient responsables des télé-théâtres à Radio-Canada : Jean Faucher, Louis-Georges Carrier, Paul Blouin et Jean-Paul Fugère. Leur patron immédiat leur laissait presque carte blanche. Ils en profitaient et montaient des pièces superbes et pas toujours faciles. Nous avons interprété un répertoire varié et d'une richesse exceptionnelle. Une période faste ! C'est rare qu'on a l'occasion de monter, dans une même saison, un Pirandello, un Camus, un Strindberg, un Tchekhov… Des occasions fantastiques ! Il faut dire que nous faisions ça un peu rapidement parfois, au détriment de la qualité que nous aurions voulu y mettre. Nous travaillions trop vite pour approcher ne serait-ce qu'une approximation de la perfection. Mais il y avait aussi de très belles réussites, des soirées mémorables. C'est presque indécent de raconter ça aujourd'hui, mais il y a même un réalisateur qui m'avait retenu pour une année complète, pour les cinq téléthéâtres qu'il devait produire pendant la saison. Il m'avait fourni les dates à l'avance et, sans savoir ce que nous jouerions, j'avais accepté. Je le connaissais bien et lui faisais totalement confiance. Pas étonnant que les réalisateurs et les comédiens aient gardé une telle nostalgie de cette époque ! Aujourd'hui, on ne produit presque plus de dramatiques.

En général, pour un téléthéâtre, nous mettions une soixan-
taine d'heures de répétition, réparties sur trois semaines ou un
mois. Contrairement au théâtre, nous avions à nous déplacer en
studio, au milieu de gens qui s'agitaient, bougeaient, parlaient, et
qu'il fallait parfois faire taire. Ça prenait des nerfs solides et une
mémoire presque sans faille. Le régisseur de plateau suivait le
texte, mais si vous aviez un trou de mémoire et que vous étiez en
gros plan à l'écran, ça se voyait immédiatement, ça se sentait dans
l'œil, dans le désarroi. Alors, il valait mieux ne pas en avoir trop
souvent, ou bien disposer d'une facilité d'improvisation à toute
épreuve. Ce n'était pas mon cas. Un trou de mémoire me pani-
quait tellement que je figeais sur place, je gelais et n'arrivais pas à
redémarrer. Nous marchions sur des œufs pendant tout le spectacle. Quand nous arrivions au bout, c'était le grand soulagement.
Et si nous avions réussi, tout le monde soupirait d'aise. Jusqu'en
1962 et dans certains cas 1965, tous les téléthéâtres étaient en
direct.

À mon avis, la disparition du direct a modifié notre façon de
jouer. Il y avait, en ce temps-là, une tension nerveuse, un petit coup
d'adrénaline qui provoquait une fébrilité qui contribuait à la réussite. Une sorte de magie, aussi bien dans le cas de l'équipe technique
que dans celui des comédiens. Les techniciens n'avaient que deux
jours de répétition avec nous, le samedi et le dimanche en général,
pour mettre au point les mouvements compliqués qu'ils exécutaient
avec les caméras. Comme les comédiens, ils devaient se déplacer
dans les décors. C'était très énervant pour eux, tout ce mouvement
sur le plateau. Dans ce sens, c'était semblable à la règle du théâtre :
quand vous sautez en scène, il faut aller jusqu'au bout. Pas question
de dire : « Excusez-nous, on recommence. »

La télévision, à partir du moment où l'on s'est mis à enregistrer,
est presque devenue du cinéma, en moins léché, en moins perfec-
tionné, en plus rapide. En revanche, le fait de pouvoir recommencer
si ce n'était pas satisfaisant engendrait une sorte de relâchement sur
le plateau. Aujourd'hui, pour les jeunes, le direct est affolant. Pour

nous, qui avons connu cette époque, les enregistrements nous refroidissent. Phénomène de génération, je suppose.

Trois Valses

Le direct amenait aussi son lot de situations cocasses. En 1960, Roger Barbeau avait décidé de monter *Trois Valses*, une comédie musicale avec Mathé Altéry, sur les ondes de Radio-Canada. À l'origine, les dialogues avaient été écrits pour Yvonne Printemps, chanteuse, et Pierre Fresnay qui, lui, ne chantait pas. C'était un spectacle qui exigeait des chœurs, un orchestre, des danseurs, et qui se déroulait à trois époques différentes. C'est dire le nombre de costumes nécessaires! Nous n'avions même pas réussi à terminer le dernier enchaînement au moment de la diffusion en direct. Le réalisateur se sentait si peu prêt qu'il avait téléphoné au grand patron, Alphonse Ouimet, à Ottawa, pour lui signaler la catastrophe appréhendée. Il n'osait plus présenter le spectacle, et lui proposait de l'annuler et de le remplacer par un film. Ouimet n'était pas tout à fait d'accord à cause des coûts élevés de la production, et avait exigé que nous prenions l'antenne à dix heures, comme prévu. Comme nous jouions tard en soirée, ça se terminait souvent aux petites heures. Et ma mère qui habitait Hull, où la diffusion cessait plus tôt, se faisait souvent couper la fin. Elle m'appelait tard le soir même pour que je la lui raconte!

Le spectacle a donc eu lieu dans le légendaire studio 40 qui, malgré ses dimensions plutôt réduites, a vu la réalisation de si nombreux téléthéâtres. La production des *Trois Valses* est restée mon souvenir le plus invraisemblable de la télévision en direct. C'était de la folie pure! Il y avait tellement de changements de décors et de costumes que les techniciens devaient monter et démonter les décors pendant que nous jouions dans d'autres à proximité. Comme l'espace du studio était restreint, les chœurs et l'orchestre se trouvaient à l'auditorium Le Plateau, au parc Lafontaine, et la musique nous arrivait par haut-parleurs avec une demi-seconde de retard. Gratton, le directeur des chœurs, devait les faire démarrer en tenant compte de ce délai. Pas tout à fait synchronisé !

Dans une scène, Olivier Guimond a réussi un numéro d'improvisation tout à fait inusité quand la porte du wagon de chemin de fer lui est restée dans les mains. Incapable de la remettre en place, il a dû improviser un scénario à la Charlie Chaplin, qui est resté célèbre dans les annales de Radio-Canada. Je jouais le rôle de l'amoureux, qui exigeait un nombre incalculable de changements de costumes, et ce, dans un laps de temps trop court.

Une des scènes se passait dans la salle à manger, au pied de l'immense escalier qui menait à l'entrée du célèbre restaurant Chez Maxim's, rue Royale à Paris. J'étais assis à une petite table en train de prendre un verre et j'attendais mon amoureuse, interprétée par Mathé Altéry, qui tardait à arriver. Finalement, le garçon du café me signalait qu'il fermait, que j'étais le dernier client, et qu'il fallait que je parte. Je réglais la note et montais l'escalier. Arrivé à la porte, mon amoureuse entrait. Moi, tout heureux, je redescendais l'escalier avec elle pour retourner à notre table. En descendant, je me suis aperçu que, derrière, il y avait des machinistes qui tenaient l'escalier à bout de bras, faute d'avoir eu le temps de le fixer avec des pieds-de-chèvre pour le retenir au sol. Ils étaient peut-être six ou sept gars à soutenir l'immense escalier. À la scène qui devait suivre, une trentaine de danseurs et de danseuses allaient venir s'exécuter dans l'escalier. Je me suis dit, mentalement : « Ce n'est pas possible, ils ne vont pas tenir le coup, qu'est-ce qui va se passer ? » Pendant tout ce temps, nous continuions à jouer, à nous parler, innocemment.

En arrivant en bas, je me suis rendu compte que la table était toujours là, mais qu'il n'y avait plus de chaises. Les accessoiristes avaient commencé à enlever le décor ! Alors que nous arrivions, deux machinistes, à plat ventre pour ne pas entrer dans le champ de vision de la caméra, nous ont poussé des chaises tout doucement. Finalement, nous nous sommes assis comme si de rien n'était... Nous avons fait tout le spectacle comme dans l'attente d'une catastrophe imminente. Une espèce de cauchemar ! À tout instant, nous

nous attendions à des ratés, d'autant plus que le réalisateur lui-même ne se considérait pas prêt. Nous n'avions pas eu le temps de répéter l'enchaînement de toutes les scènes. Je n'ai jamais vu autant de fesses et de seins de toute ma vie! Les danseuses n'avaient pas le temps d'aller se changer dans leurs loges situées dans les bureaux adjacents, le rythme étant trop rapide. Alors, elles se déshabillaient n'importe où sur le plateau; nous avions des flash… étonnants… absolument fous. Ce n'était pas idéal pour la concentration! Les danseurs sont venus faire leur numéro; l'escalier bougeait un peu, mais les machinistes ont réussi à tenir le coup grâce à une volonté et à un effort physique surhumains. Il faut imaginer ce que cela devait être de soutenir un escalier avec des gars et des filles qui sautaient dessus.

Il s'en est passé des choses pendant ce spectacle! Un danseur a même fendu son collant noir, et est sorti de scène affolé, les fesses à l'air. Mme Lullier, l'habilleuse, qui n'avait pas le temps de l'aider à se changer, a pris un vaporisateur de peinture noire et lui a aspergé les fesses à travers la fissure du collant. Ça ne se voyait plus à l'écran. Il a pu continuer et terminer son numéro. C'est aussi la seule fois où on m'a déculotté en plein écran… J'avais un changement de costume particulièrement rapide à effectuer. Nous avions fait quelques essais, mais c'était impossible de le réaliser dans le temps requis. Mme Lullier s'était donc arrangée avec le réalisateur pour qu'on me fasse un gros plan coupé à la taille. Dans la scène en question, j'étais assis dans une loge avec le comédien Jean Brousseau, assistant au spectacle de Mathé. À la fin, j'applaudissais et j'avais un échange avec Brousseau. Pendant notre dialogue, Mme Lullier s'est amenée à genoux, hors champ, pour commencer à m'enlever mon pantalon, question de gagner du temps. Et sur l'erre, comme ça, en jouant, mine de rien, j'ai soulevé une fesse, puis l'autre, et elle a réussi à m'enlever le pantalon. Nous avons eu juste le temps de compléter le changement avant l'autre scène. J'y suis arrivé à la seconde près.

Nous avons terminé le spectacle vers une heure du matin. Nous étions tous morts de fatigue, et le générique finissait de se dérouler quand les techniciens nous ont entourés et se sont mis à applaudir. Les comédiens ont fait de même. À la fin, tout le monde s'embrassait, les larmes coulaient. Nous nous sommes ensuite engouffrés dans un restaurant en face du studio, La Régence, pour n'en sortir qu'au soleil levant. Bref, une prestation mémorable. Mathé Altéry, qui était venue de Paris spécialement pour cette production, ne l'a jamais oubliée! Finalement, toutes ces anicroches sont passées inaperçues pour les spectateurs à un point tel que ce fut l'un des rares téléthéâtres rediffusé autant de fois à la télévision de Radio-Canada.

Place aux femmes ou « le grand remue-ménage féministe »

Je ne suis pas un homme de radio. À mon retour de Paris, en 1955, je m'étais rendu aux studios de la radio de Radio-Canada, histoire de voir ce qui s'y passait. J'y ai souvent eu l'occasion, par la suite, de participer à des radiothéâtres réalisés, entre autres, par Roger Citerne et Olivier Mercier-Gouin. Nous jouions avec nos textes, mais nous devions tout de même bien les connaître parce que, en ondes, la moindre hésitation et le plus petit défaut d'élocution ressortaient. Mais c'est tout à fait par hasard que je me suis retrouvé à coanimer l'émission *Place aux femmes* avec Lise Payette, à partir de 1965 — une longue parenthèse de sept années d'antenne dans mon métier d'acteur. Quand le réalisateur, Claude Morin, m'a convoqué pour me proposer une émission quotidienne à la radio, j'étais assez étonné. Je n'ai jamais très bien compris pourquoi on m'avait choisi d'ailleurs : je n'avais jamais fait d'animation à la radio, en direct et devant public! Mais il était d'accord pour m'essayer et le défi m'intéressait.

L'émission s'adressait surtout aux femmes au foyer, et nous devions aborder la grave question des rapports hommes-femmes avec une pointe d'humour, si possible en s'amusant un peu. J'avais un rôle à tenir : je servais de tampon, de soupape de sûreté. Il ne fallait pas tomber dans la revendication et la hargne, mais il nous arrivait souvent de marcher sur la corde raide ! C'était toute une époque, celle de la libération des femmes, des soutiens-gorge aux orties… En comparaison à ce que j'avais connu dans ma jeunesse, c'était une période de facilité prodigieuse dans les mœurs. J'avais été habitué, comme tous les hommes de ma génération, à observer une certaine réserve par rapport aux filles, à prendre le temps de s'apprivoiser mutuellement avant de coucher ensemble. Mais là, c'était l'inverse qui se produisait ! Nos prises de position suscitaient beaucoup de réactions de la part du public. Il était souvent question de nous dans les lettres ouvertes publiées dans la presse quotidienne. Au départ, je ne savais pas trop à quoi m'attendre, mais les propos féministes de Lise sont vite devenus un jeu pour moi. Nous nous renvoyions la balle. C'est ce qui faisait le piquant de l'émission.

D'une certaine façon, nous faisions de la télévision à la radio. Un genre de spectacle. Nous avions en studio des invités, un orchestre et le public qui venait déjeuner avec nous, des dames surtout, et de rares hommes. Nous nous faisions des tas de surprises. Nous formions une équipe très soudée, animateurs, recherchistes, techniciens, musiciens — ceux de Paul de Margerie et, ensuite, de François Cousineau —, un peu comme une grande famille. Nous passions tellement de temps en studio ensemble !

Comme c'était une émission très populaire, nous essayions d'avoir tous les grands noms qui passaient à Montréal et ma foi, ils venaient sans trop se faire prier. Si on fait le compte, six ou sept invités par jour, cinq jours par semaine, pendant quarante semaines… ça fait un joli nombre de personnalités qui ont pu défiler là. Pas seulement des célébrités, mais des gens de tous les milieux. C'est le meilleur souvenir que j'en garde. Souvent, ces entrevues se prolongeaient au café des Artistes, à côté de Radio-Canada, où nous allions faire le « *post mortem* » quotidien. Je me souviens d'après-midi passionnants avec, entre autres, Lucien Bodard, romancier et auteur de reportages célèbres, Lucienne Boyer, Serge Reggiani et Pierre Brasseur avec qui la journée s'était terminée par une mémorable tournée des grands-ducs !

Les écueils du direct

Avec la présence du public en studio, chaque émission se transformait en un genre de happening. La spontanéité y jouait un grand rôle. D'ailleurs, il fallait toujours être aux aguets, voir si la personne invitée marchait dans notre jeu. Si nous la sentions réticente ou carrément inhibée, il fallait faire des détours et trouver un autre moyen d'arriver à nos fins. Il ne s'agissait pas de la mettre mal à l'aise, ce n'était pas notre intention. Il nous arrivait de passer le micro aux dames dans l'assistance… et de devoir leur retirer aussi vite, voyant déraper la conversation vers des terrains dangereux et un peu risqués. Les interventions pouvaient bifurquer rapidement.

C'est un peu comme ça que je me suis mis les pieds dans les plats au tout début de la crise d'octobre. Nous étions en studio et l'annonceur maison nous a interrompus pour une émission spéciale. Il semblait tendu. Il a pris un micro et a annoncé l'enlèvement de James Cross. D'abord, il faut dire que James Cross, personne ne le connaissait. Il avait été enlevé, nous ne savions pas par qui. Puis, nous étions loin de soupçonner l'ampleur que cela allait prendre. Alors, j'ai lancé comme ça : « En tout cas, il n'est pas ici, on a regardé partout. » Sans penser plus loin. Pas drôle en soi! Pendant toute cette période, il fallait faire attention de ne pas faire de farces plates parce que la situation empirait de jour en jour. Des copains étaient arrêtés la nuit et nous apprenions ça le matin. Les fameuses mesures de guerre ont pris des proportions inimaginables. Pour entrer à Radio-Canada à Montréal, il fallait franchir trois rangs de soldats à moitié endormis sur leurs carabines. Nous ne pouvions pas en parler au micro. Ça ne nous regardait supposément pas, nous animions une émission féminine. C'était difficile de vivre ça.

Cette émission mobilisait beaucoup de temps et d'énergie. Il m'était impossible de jouer au théâtre en même temps. J'avais bien essayé, mais j'avais dû me rendre à l'évidence : c'était inconciliable. D'un autre côté, c'était une expérience passionnante de rencontrer tous ces gens, des aventures nouvelles tous les matins. Et comme le comédien se nourrit de l'humain, c'était très enrichissant sur le plan du métier.

Mais j'avoue qu'au bout de cinq ans, j'en avais un peu assez. L'émission s'est poursuivie deux années encore sous le nom de *Studio 11* et est devenue un peu plus commerciale. J'étais presque devenu un gars de radio et de télévision ! La scène commençait pourtant à me manquer sérieusement. C'était là qu'était ma place, ma vraie famille. Surtout que j'ai été frappé, en janvier 1972, par le décès subit de Denise, ma compagne depuis vingt-quatre ans. Je n'avais plus le goût de rire aux happenings du matin. Le retour à la scène et, plus tard, la présence aimante de ma nouvelle compagne, Andrée — que j'appelais amoureusement « ma salvatrice » —, allaient m'aider à sortir du marasme.

Les belles histoires de… téléromans

Pendant cette période, je participais à des séries télévisées. Dans les téléromans, ma carrière fonctionnait par cycles de six ou sept ans, soit dans la peau d'Alexis — dont j'avais repris le rôle en 1965 —, soit dans celle de Théo Joyal dans *Mont-Joye,* d'Antoine Jacquemin dans *Terre humaine* ou de Léon Tanguay dans *Sous un ciel variable.* Souvent, des rôles de pères de famille, tous des bons gars dans leur genre ! Entre nous, nous avions l'habitude de dire que les téléromans, c'était pour payer l'épicerie, ce qui n'en faisait pas pour autant un genre mineur. Il y en a d'extrêmement valables. Cela dit, il n'y a pas de comparaison possible entre *Andromaque* et un téléroman…

Le succès d'un téléroman est parfois assez imprévisible. Les cotes d'écoute, le courrier, les appels du public, tout est consigné, et la durée des séries en dépend souvent. Il peut aussi arriver que l'on continue sur l'erre d'aller pour une raison tout à fait extérieure, comme lorsque la série qui doit prendre l'affiche à la suite de la nôtre n'est pas prête. C'est arrivé la dernière année de *Sous un ciel variable,* et les auteurs ont rallongé l'histoire pour une autre saison. Par contre, quand Radio-Canada a retiré de l'affiche *Les Belles Histoires des pays d'en haut,* la station de télévision a reçu une multitude de lettres et de coups de téléphone. On n'allait quand même pas garder ça pour l'éternité! Ils auraient pu… En reprise, c'est encore l'émission qui obtient la meilleure cote d'écoute.

Les personnages des *Belles Histoires des pays d'en haut* faisaient presque partie de la vie quotidienne des gens. Les femmes, en particulier, vivaient le drame de Donalda comme le leur. Elles la plaignaient terriblement d'être si mal mariée et de devoir côtoyer chaque jour Alexis, le grand amour de sa vie, devenu l'amant de Baby du Colorado. Grâce au talent de M. Grignon, qui avait réussi à créer des personnages attachants, typés, criants de vérité, tout le monde se souvient de Bidou Laloge, de l'aubergiste Ti-Père, de Thodore Bouchonneau… Quand les gens me rencontraient sur la rue, ils ne manquaient pas de me demander des nouvelles des personnages! Je ne crois pas me tromper en affirmant que cette émission a été la seule à battre les séries éliminatoires de hockey en fin de saison. Une cote d'écoute fantastique, incroyable! Après *Les Joyeux Troubadours,* je pense qu'il s'agit de l'émission qui a été le plus longtemps en ondes.

Quand le rôle d'Alexis m'a été offert, au cinéma d'abord, j'ai ressenti comme un petit frisson. Ça me plaisait bien comme « peau d'emprunt » : celle d'un aventurier, amoureux déçu, coureur de femmes… mais c'était un personnage bien de chez nous, taillé à la hache. À la télévision, nous travaillions plus rapidement, dans des conditions souvent difficiles. Nous sentions bien parfois que nous bâclions un peu les choses. Quand j'ai repris le rôle d'Alexis, le personnage m'était tellement familier — comme pour tous les comédiens de la série d'ailleurs — que c'était devenu, hélas, comme une routine, et je retombais vite sur mes pattes en sortant du studio. J'aurais presque pu improviser tellement je le connaissais. Après tant d'années, nous nous sentions tous très à l'aise dans nos personnages.

Évidemment, je me souviens plus clairement du dernier téléroman auquel j'ai participé. J'ai beaucoup apprécié la modernité des textes de *Sous un ciel variable* par rapport à *Terre humaine*, encore un peu rural, plus traditionnel. Il y avait un traitement plus moderne des rapports humains, me semble-t-il, un humour à fleur de peau. Le couple que je formais avec Hélène Loiselle (Lisette) s'est développé et enrichi avec les années. Quand on commence un téléroman, on ne connaît jamais la fin de l'histoire. On reçoit en général nos textes cinq ou six semaines à l'avance seulement. En ce sens, en tant que comédiens, on peut participer à la composition du personnage, un peu comme dans la vraie vie. Au départ, Léon Tanguay était un macho assez désagréable, sûr de lui, qui prenait un verre, rentrait tard et oubliait l'anniversaire de sa femme…

Je trouvais que c'était mal engagé, presque trop caricatural. Pendant les répétitions, en tant que comédien, on pose des questions aux auteurs et on rajuste le tir. Au début surtout, tout est un peu flottant, en déséquilibre. Un téléroman, ce n'est pas une œuvre achevée et on cherche un peu pendant les premiers épisodes. La réaction du public, la chimie entre les acteurs, tout ça reste à concrétiser. Finalement, le personnage de Léon s'est orienté vers une sorte de macho léger, plus drôle, presque naïf. Il réagissait parfois comme nos pères ou nos oncles le faisaient. Combien de fois ai-je entendu de la part des spectateurs : « Vous me faites penser à mon oncle un tel ou à mon grand-père… »

Lisette a été pour beaucoup dans cette évolution également. La pimbêche du début s'est transformée en personnage primesautier, genre « oiseau des îles », évaporé mais curieux, aux aguets. Finalement les deux personnages sont devenus un couple avec une complicité que les gens aimaient voir à l'écran à un point tel qu'il y avait des hommes, semble-t-il, qui disaient à leur épouse : « Fais pas ta Lisette » ou vice-versa. C'est un signe que les personnages accrochaient, étaient vivants et crédibles. Le danger qui nous guette, quand nous collaborons à une longue continuité, c'est d'oublier de laisser le personnage en sortant du studio. Il faut s'en distancier sinon la vie serait impossible. C'est plus facile pour les rôles joués à la télévision où l'engagement n'est jamais aussi intense qu'à la scène.

Le vedettariat

Par la radio, la scène et surtout la télévision, j'étais devenu une personnalité publique, une « vedette ». Ça m'est arrivé d'un coup sec, subitement. La première période de la télévision a suscité un brin de folie. La notoriété avait comme avantage de me permettre de négocier mes cachets à la hausse. J'en profitais, pourquoi pas! Mais cela comportait aussi des inconvénients. J'avais bien peu de temps à consacrer à ma famille, que je voyais très peu. C'est peut-être mon principal regret, d'avoir trop négligé ma vie de famille. Et puis, on me courait après, journalistes et admiratrices. Je recevais beaucoup de courrier auquel il m'arrivait de répondre à l'occasion. Comme toutes les vedettes masculines, que ce soit les chanteurs ou les vedettes du sport, il fallait se cacher des filles, autrement nous étions assaillis. Le phénomène des « groupies » ne date pas d'aujourd'hui, il n'y a rien de nouveau sous le soleil! Georges Wilson, qui allait prendre la succession de Vilar à la tête du TNP, avait trouvé la formule pour exprimer ces « courants de sympathie » féminins. Il disait : « Nous sommes très sollicités. »

Sollicités, nous l'étions en effet. Toutes les vedettes du petit écran, autant les comédiennes que les comédiens d'ailleurs. Comme si nous appartenions à tout le monde. Dans certaines circonstances, il fallait nous barricader dans nos loges. Nous n'étions pas faits de bois. Parfois, nous pouvions en être estomaqués et en profiter… Je me souviens que, lors de quelques célèbres tournées avec l'équipe de *Place aux femmes,* cette situation déplaisait beaucoup à Lise Payette qui voyait bien le comportement des femmes et notre sourire en coin. C'était toujours pareil. Il fallait voir comment Gérard Philipe devait se protéger partout où il passait. Son arrivée provoquait presque des émeutes dans les gares. Au palais de Chaillot, les filles l'attendaient à l'entrée des artistes. Il devait s'échapper par le sous-sol. Cela dit, c'était un type formidable, à la hauteur de son image! Un camarade très chaleureux qui savait écouter et qui était très près des gens. Il ne se comportait pas en vedette, sauf auprès de certains journalistes qu'il pouvait envoyer promener. Il est mort en pleine gloire.

Autant que possible, je me tenais loin des journalistes à potins qui, parfois mécontents de ne pouvoir nous interviewer, inventaient tout simplement des articles à notre sujet, questions et réponses. Pour moi, le vedettariat n'était pas absolument sacré. J'avais été à la bonne école en côtoyant des célébrités comme Jean Dasté, Gérard Philipe et Maria Casarès, qui restaient d'une simplicité totale et n'attachaient pas plus d'importance qu'il ne le fallait à ce statut. Je pense que ça m'a aidé à ne pas trop m'enfler la tête. C'est dangereux la célébrité, comme un château de cartes qui peut s'effondrer n'importe quand. J'ai toujours tenté d'avoir les pieds sur terre. Ce dont je suis le plus fier aujourd'hui, c'est d'avoir duré et non d'avoir réussi. Réussir, je pense qu'à peu près n'importe qui avec un peu de talent peut le faire. Il suffit d'y mettre les efforts et la volonté. Cela n'a pas été facile tous les jours ; j'ai aussi eu des coups durs. Pouvoir jouer pendant sa vie entière est plus ardu. C'est ma plus grande satisfaction. Il n'y a pas de doute qu'à un certain moment, disons jusqu'en 1964-1965, j'étais ce qu'on appelait une « grosse vedette ». Cela coïncidait avec les débuts de la télévision. C'était une chance inouïe pour les comédiens de ma génération. Par après, tout ça s'est calmé… pour moi en tout cas.

Chapitre V

Le théâtre : jeux de masques

Après l'amour et l'amitié,
l'art est le plus court chemin
d'un homme à un autre.
Claude ROY

PENDANT toutes ces années passées à la radio et à la télévision, j'avais presque rompu avec mon métier, et le théâtre me manquait. J'y suis revenu au début des années 1970, après six ou sept ans d'absence presque totale. J'effectuais ainsi un retour dans ma vraie famille, celle des coulisses et du théâtre. Un retour aux sources. Toute ma vie, j'avais vécu dans ce milieu-là. Comme Guy Hoffman me l'avait signalé, c'était difficile d'y revenir après un si long arrêt.

Les directeurs de théâtre ne m'avaient pas totalement oublié, mais ils avaient cessé de me contacter à la suite de mes refus répétés. Quand je leur ai rappelé ma disponibilité, à mon grand étonnement les offres sont revenues très vite. D'autant plus que je me sentais plus libre parce que d'une part, je pouvais choisir mes rôles, et d'autre part, il n'était pas question d'engagements à long terme. Au théâtre, répétitions comprises, quand on a travaillé une pièce pendant trois mois, c'est à peu près le maximum ; à moins qu'il n'y ait des tournées qui s'ajoutent, ce qui est rare. On ne sait jamais ce qui viendra après. C'est le côté insécurisant du métier. J'y étais habitué et, dans le fond, j'aimais bien le changement. Pour quelqu'un qui est un peu girouette comme moi, changer continuellement de rôle me plaisait bien. Dans tout ce que j'entreprends, j'aime qu'il y ait un élément de curiosité, de découverte, je dois sentir que je ne fais pas du sur-place.

Cette sorte d'arrêt m'a peut-être été bénéfique, car je suis revenu au théâtre avec beaucoup de plaisir. Je me suis rendu compte que le théâtre m'avait vraiment manqué et j'y ai retrouvé de vieux camarades. Et comme on ne m'avait pas complètement oublié, je me suis mis à refuser les offres assez souvent, comme avant. Sur ce plan, j'ai été très choyé dans ma carrière. En sept ans, le milieu n'avait pas changé à ce point. Les conditions physiques et matérielles s'étaient améliorées, les théâtres étaient plus propres, mieux gérés, les administrations, plus sérieuses. La colonie artistique s'était enrichie d'une relève formée de jeunes qui sortaient des conservatoires et des écoles d'art dramatique, et qui apportaient un souffle nouveau. La dramaturgie québécoise continuait de s'affirmer ; on se trouvait dans la mouvance des *Belles-Sœurs* de Michel Tremblay. Mais fondamentalement, on éprouvait les mêmes difficultés financières et budgétaires. Il n'y a jamais eu de véritable politique du théâtre au Québec.

Le théâtre : un art du moment

Il y a un côté très actuel dans le théâtre. Il m'est même arrivé de douter que ce soit véritablement un art dans le même sens que la musique ou la peinture, qui atteignent une certaine pérennité. Le théâtre est un art de l'éphémère dans la mesure où ça se reçoit au moment où ça se joue. Que ça plaise ou pas, on le sait sur le coup ! Bien sûr, il en reste des traces : le texte de la pièce elle-même et, parfois, des enregistrements que les compagnies réalisent pour leurs archives. Mais il est très difficile de se regarder sur vidéo parce qu'au théâtre, on joue pour le public, pas pour la lentille. On se sert surtout de ces enregistrements comme documents de référence, parce qu'une fois que l'équipe se dissout, à la fin d'une pièce, c'est terminé. Nous avons l'habitude de dire entre nous : « Encore une de partie pour l'éternité... » Il y a plusieurs pièces que l'on peut savourer par écrit, sans les voir interpréter, mais il faut une certaine habitude. Le commun des lecteurs n'est peut-être pas tenté par l'exercice, mais on peut s'y amuser si on a un imaginaire un peu développé.

Vivre du théâtre, c'est vivre dangereusement parce que, le faire sérieusement, c'est se jeter à l'eau tous les soirs. Il y a quand même devant vous un millier de spectateurs qui ont payé, à l'avance, une place relativement chère, et qui se sont donné la peine de se déplacer en vous faisant confiance. Il ne faut pas les décevoir. C'est une question d'honnêteté au départ, puis ce n'est pas intéressant de sauter en scène à reculons. Il faut continuer à aimer le métier pour le pratiquer. Si vous avez le goût du risque — je crois l'avoir toujours eu et l'avoir encore —, c'est excitant. C'est une nouvelle aventure tous les soirs : vous quittez votre domicile sans savoir qui sera dans la salle ni comment va se dérouler la représentation.

Le lever du torchon

Les premières cinq minutes d'une pièce sont déterminantes. J'écoute toujours attentivement le début, dans ma loge ou en coulisses, pour déceler les réactions de la salle. Les premières cinq minutes vous indiquent comment la soirée va se dérouler, à moins d'une catastrophe imprévisible. Dans notre jargon, nous disons que le public est bon ou... pourri. Attention ! Nous disons que le public est pourri, mais ce sont peut-être les comédiens qui le sont ! Certains soirs, on ne sait pas pourquoi, ça ne colle pas. C'est le grand mystère. Je ne connais personne en mesure d'expliquer ce qui fait qu'un soir ça marche merveilleusement et que le lendemain, dans les mêmes conditions, avec les mêmes comédiens, ça ne démarre pas. On ne sait trop de quoi dépend le succès, au théâtre. Si on savait ce que le public veut, s'il le savait lui-même, ce serait toujours un succès ; mais

voilà, le public est à l'image de la société tout entière. Si l'on trans-
pose sur le plan politique ou social, on constate que le succès dépend
d'une foule de petites choses insaisissables et qui font qu'une
conjoncture historique est favorable ou non. Il faut savoir saisir le
bon moment, avoir du flair. Même chose au théâtre.

Il y a des pièces très délicates à interpréter. Dans certaines, les
rapports humains sont plus subtils, plus fins. Marivaux par exemple,
c'est de la dentelle par rapport à Molière, qui ferait plutôt dans le
gros drap du pays. Il ne faut pas être très doué pour rater une comédie de Molière ! C'est un peu la même chose pour les pièces de
Feydeau : l'auteur en fait presque la mise en scène, tant ses indications sont précises ! Tchekhov, par contre, est plus délicat à interpréter. Il faut trouver le ton juste. Les rapports entre les personnages
sont plus denses, plus subtils, plus diffus.

Le lever du torchon, une expression argotique un peu grossière
pour désigner le lever du rideau, reste un défi pour le comédien qui
passe en premier. Celui qui lève le torchon, surtout avec un monologue, a avantage à être réchauffé. C'est la hantise de tout comédien.
S'il arrive à froid sur le plateau, tout peut s'effondrer. Tous les débuts
de pièce sont extrêmement délicats. Il faut réchauffer le public. Si ça
marche, c'est encourageant d'entrer en scène pour faire découvrir
une œuvre qu'on aime, puisqu'on a accepté d'y participer. C'est une
façon d'être avec les autres, de partager un plaisir commun.
L'aménagement des salles a aussi son importance. Pour arriver à créer
un climat d'émotion, il faut pouvoir aller chercher la dernière personne en haut. Il y a parfois des salles où une pièce devient injouable !
Vilar disait que le palais de Chaillot, au Trocadéro, n'était pas un
théâtre, mais un garage ! Une salle énorme. Il a tout essayé pour en
tirer le meilleur parti. Finalement, ça l'a servi, parce qu'il a fait des
choses grandioses avec presque rien. Habiller un espace de la sorte lui
aurait coûté une fortune, alors il préconisait la formule du « rien sur
le plateau ». S'il fallait un meuble, il devait être superbe ; même chose
pour les costumes. Notre costumier, le peintre Gischia, s'en donnait
à cœur joie. Cela correspondait bien à l'esthétisme de Vilar.

La peau d'un autre

À mes débuts, j'éprouvais une certaine timidité que j'arrivais à surmonter en compensant par l'audace, comme beaucoup de timides qui se sentent obligés de foncer, de faire un effort pour s'imposer. Dans la vie de tous les jours, il y a beaucoup de comédiens qui souffrent de timidité. C'est peut-être ce qui explique qu'ils aient besoin de personnages pour s'exprimer. Ils se cachent derrière des masques et des rôles. Ils entrent dans la peau d'un autre pour oublier la leur. Le métier, en ce sens, est une fuite de soi-même. Quand on choisit jeune de pratiquer ce métier, on n'est pas toujours conscient qu'il y a là une sorte de refus de soi et de la réalité, de la vraie vie. Au théâtre, on vit dans l'imaginaire, dans « l'ailleurs », un peu comme les enfants qui jouent. Comme en voyage. J'aime bien être ailleurs, moi.

En soi, il y a l'acteur et l'homme. Il faut départager, garder une certaine distance, être capable de rester soi-même tout en sortant de soi. En tant qu'acteur, on peut interpréter une scène passionnée, s'apercevoir en même temps que le coin du tapis est plié, puis le replacer du bout du pied afin d'éviter que les camarades ne s'y accrochent. On voit tout sur scène, on a les nerfs à fleur de peau, on se rend compte de tout ce qui se passe. On est très conscient de l'état d'esprit des autres comédiens à la façon dont ils laissent tomber leurs répliques. Mais on doit garder le contrôle sur soi. Il ne s'agit pas de s'engager au point où l'on ne maîtrise plus ce que l'on fait.

En principe, quand on joue, on oublie tout de la vie quotidienne. C'est étonnant, mais indispensable. Le théâtre provoque un effet anesthésiant très familier aux gens du métier. À peu près tous les comédiens ont des histoires à raconter à ce sujet. Je me souviens de certains coups durs que j'ai réussi à traverser en grande partie grâce au métier. Autrement, j'aurais pu devenir fou. Je me rappelle être déjà entré en scène avec cent quatre degrés de fièvre. C'était le soir de la première de *Ils étaient tous mes fils,* d'Arthur Miller, à la Compagnie Jean-Duceppe. Je tremblais comme une feuille, les

sueurs m'aveuglaient. On m'a donné une injection et j'ai joué. Non
seulement j'ai joué, mais j'en suis sorti guéri ! La fièvre était tombée.
Le théâtre m'avait servi de thérapie. Il faut dire qu'on retrouve ça un
peu dans tous les métiers. Quand vous avez quelque chose à faire,
vous le faites et vous vous rendez compte, finalement, que ce n'était
pas si grave que ça. Quand la salle est remplie, il n'est pas question de
renvoyer chez elles neuf cents personnes, même en remboursant.
C'est extrêmement rare. En cinquante-deux ans de métier, je n'ai
jamais vu ça.

Il arrive que l'on doive remplacer un comédien au pied levé,
dans des rôles secondaires surtout. On le fait avec le texte à la main,
la plupart du temps. On avertit généralement le public, et je pense
qu'il aime ça, d'une certaine façon. Il y a un petit côté dangereux, du
genre : est-ce que le dompteur va se faire bouffer par le lion ? est-ce
que le comédien va bafouiller ou se casser la gueule ? Quand vous
réussissez à passer au travers sans casse, le tout se termine par une
ovation spéciale parce qu'évidemment, dans les circonstances, vous
sauvez la représentation et tout le monde est bien content.

Choisir ses rôles

Il faut croire aux rôles que l'on interprète, si l'on veut que le
public marche. Quant à savoir si on choisit soi-même ses rôles ou si
l'on s'adapte à ceux qui nous sont proposés, c'est le grand paradoxe.
Si possible, l'idéal c'est de choisir ; mais il faut se méfier parce que le
comédien, de même que la comédienne, se connaît souvent mal. Je
me souviens d'avoir été tenté par certains rôles qui n'ont pas été une
grande réussite. Je me sentais très près de certains personnages, et
l'alchimie n'a pas joué. Par contre, certains rôles que j'ai hésité à
accepter se sont finalement avérés des succès. C'est dire comment on
peut se tromper !

Par exemple, quand on m'a proposé le rôle du père dans la pièce
de Michel Tremblay *Bonjour, là, bonjour* j'avoue que, sur le coup,
j'ai été très étonné parce que le monde de Michel Tremblay me

paraissait loin de moi, de ma formation et de mon expérience. En même temps, j'étais tenté parce que Tremblay est un auteur majeur de notre dramaturgie et que je n'avais jamais joué ses œuvres. Je me suis dit qu'il faudrait quand même que je fasse du Tremblay avant de mourir ! Finalement, j'ai accepté et, ma foi, je dois l'avoir rendu pas trop mal puisque j'ai gagné le prix de la critique cette année-là ! En fait, quand on m'a téléphoné pour me dire que j'étais en nomination pour ce trophée, j'étais sûr que c'était pour ma prestation dans la pièce *Douze hommes en colère,* qui avait marché très fort, et non pour le rôle d'Armand dans *Bonjour, là, bonjour.* J'étais vraiment étonné.

C'est René Richard Cyr qui m'avait convaincu d'accepter le rôle. On a souvent besoin d'un tiers qui vous fasse confiance pour vous ouvrir un horizon neuf. Voyant mes hésitations, Cyr m'avait dit : « On va travailler, tu vas voir, on va y arriver… », et au fur et à mesure, au fil des répétitions, je voyais bien que cela venait. Il faut dire que, dans une pièce, il n'y a pas que votre personnage qui vous influence, tous les camarades qui vous entourent également. C'est interactif, le théâtre. C'est une entreprise collective. Dans cette histoire d'inceste de Tremblay, je ne pouvais qu'imaginer la réaction du père ; je n'avais pas connu de réalité semblable. Les autres personnages — les tantes entre autres — m'apparaissaient assez bizarres, étrangers à mon monde, mais, finalement, le résultat était là. J'en étais satisfait parce que l'idéal, dans ce métier, c'est de jouer des personnages différents et parfois à l'opposé de soi-même. Ne jouer que soi deviendrait ennuyant à la longue, et pour l'acteur et pour le public. Il faut se lancer des défis continuellement pour aller au bout de soi. Dans le fond, les seuls rôles qu'on ne doit pas accepter sont ceux qu'on ne veut pas jouer.

C'est donc dire qu'il est plus facile de juger des rôles que l'on ne peut pas tenir que de ceux que l'on peut réussir. Plus facile de dire non que oui. C'est évident qu'il y a des personnages qu'on ne peut pas interpréter quand on n'a ni le physique ni les qualités voulus. Je ne me serais pas imaginé dans la peau de *Lorenzaccio,* entre autres. Je n'avais pas ce petit côté efféminé, ambigu, si proche de l'homosexualité. Fabriquer cela n'aurait pas été possible ! Personne n'y aurait cru.

Cela dit, je suis le résultat des nombreux personnages que j'ai pu incarner à la scène et à la télévision. Le hasard a voulu que j'interprète des bons gars, honnêtes, droits. On m'a souvent offert des rôles de bons pères de famille. Je devais avoir une bonne bouille, qui sait! Sauf peut-être dans *Les Aiguilleurs,* où mon personnage était profondément antipathique. Je jouais en duo avec Jacques Godin dans cette pièce britannique. Godin tenait le rôle d'un gars sympathique qui finissait par m'égorger!

Je n'ai rien contre le fait de jouer un rôle antipathique si c'est un beau rôle. Être haï du public, si le rôle est détestable, est le plus grand hommage qu'un comédien puisse recevoir, à condition de ne pas en rester prisonnier. Si le public vous identifie à un tel rôle et que vous ne pouvez plus en sortir, c'est dangereux. C'est un peu ce qui est arrivé à Jean-Pierre Masson, qui a trop bien rendu son personnage de Séraphin. Il avait du talent, c'était un très bon acteur de la scène. Mais on garde l'impression que le public et les directeurs de théâtre n'ont pas pu l'accepter dans une autre peau.

Sur ce point, j'ai été assez favorisé. La palette de personnages que j'ai pu interpréter à la scène et à la télévision est assez étendue et colorée. J'avais un physique un peu passe-partout qui pouvait se prêter aux transformations les plus diverses. On m'a vu sous différentes facettes dans lesquelles je n'aurais jamais songé à m'imaginer moi-même. Ce qui ne veut pas dire que toutes mes ressources de comédien ont nécessairement été exploitées! Je n'ai pas joué les jeunes premiers très longtemps. Je suis passé assez rapidement à des rôles de maturité, qui sont beaucoup plus intéressants. Il y a du jus, de la viande autour de l'os dans ces rôles de caractère.

Entrer dans un rôle…

Apprendre un rôle est fastidieux. Ça fait partie du métier et, avec le temps, je m'y suis fait. J'aime bien répéter, davantage même que jouer. Je suis moins stressé, moins gêné par le trac. En répétition, l'atmosphère est plus détendue, on cherche, on travaille vraiment.

La recherche qui se fait autour de la table, avant même que l'on commence à s'activer, me passionne. Je m'engage beaucoup dans les répétitions. En scène, le trac est omniprésent. Je pense même que c'est pire, en vieillissant : on se concentre moins facilement ; ça demande un effort plus soutenu. Heureusement qu'il disparaît après quelques minutes et qu'on peut alors s'abandonner au bonheur de jouer. Dire qu'à vingt ans, on croit qu'on peut tout faire sans efforts, comme s'il n'y avait pas de limites… Mais ça, c'est la beauté de la jeunesse !

Gérard Philipe avait raison quand il affirmait qu'il y a dans la création d'un personnage une part d'instinct, quelque chose d'irrationnel qui est l'essentiel et dont il est difficile de parler. Le jeu, pour lui, n'était pas affaire de réflexion. Il en faut, bien sûr, mais on a surtout besoin d'un instinct extraordinaire pour ne pas tomber dans l'intellectualité, tout ce côté analytique, raisonné, qui, à la limite, risque de figer l'émotion. Il faut de l'impudeur dans ce métier. Il ne faut pas se défendre. Jouvet disait que la première qualité du comédien est la disponibilité, l'humilité devant le rôle et le texte. Il y a beaucoup de comédiens qui aiment travailler un rôle en faisant une psychanalyse poussée du personnage. Être prêt à se laisser envahir par un personnage, c'est simple et complexe en même temps. Il y a toute une part d'ombre qui est inexplicable. Comme l'exprime si bien la superbe réplique de Montaigne, à propos de son amitié pour Étienne de la Boétie : « Pourquoi l'aimez-vous ? Pourquoi vous aime-t-il ? — Parce que c'est lui, parce que c'est moi. »

En ce sens, le théâtre peut devenir thérapeutique en aidant le timide ou celui qui n'ose pas extérioriser ses émotions. À travers un personnage, vous pouvez le faire. Pour une fille inhibée en matière de sensualité, par exemple, jouer Messaline serait probablement une sorte de délivrance. Je pense qu'il faut pouvoir se laisser aller, être disponible jusqu'à l'impudeur totale. Ne pas craindre d'étaler ses états d'âme, sans tomber pour autant dans une émotion non maîtrisée. Il faut de la sensibilité, pas de la sensiblerie.

Parfois, la nuance entre les deux est difficile à établir ; la frontière est mince. On n'est pas là pour pleurer, mais pour faire pleurer les autres. On n'est pas là pour rire, mais pour faire rire. On a déjà vu des acteurs pleurer à chaudes larmes sur scène, pensant qu'ils étaient bien bons alors que tous les yeux étaient secs dans la salle. Il faut plutôt garder la tête froide et une certaine maîtrise de l'émotion et du texte, faire attention à ne pas tomber dans le pathos. Les vraies larmes sont rarement bonnes sur scène. L'exemple typique que l'on donne à ce sujet, c'est celui du grand Talma, tragédien de la Comédie-Française et acteur préféré de Napoléon. Il jouait dans une tragédie antique une scène où il tenait dans ses mains une urne contenant les cendres de son fils, une scène déchirante qui faisait pleurer la salle à flots continus. Il triomphait. Pendant le cours des représentations, son vrai fils est mort. Il l'a fait incinérer et a demandé au régisseur de placer les cendres de son véritable fils dans l'urne. Il n'a jamais réussi à terminer sa scène. Il s'est mis à sangloter, à bafouiller, à trébucher. C'en était trop. C'était trop vrai. Le théâtre est un jeu ; nous sommes des menteurs, je le rappelle.

Le rapport des acteurs avec le public est un peu semblable aux rapports amoureux. Jean-Louis Barrault disait que faire du théâtre, c'est comme faire l'amour avec le texte, le public jouant le rôle de voyeur. Dans certains cas, quand vous êtes seul en scène, ça peut même devenir faire l'amour avec le public, carrément. Il y a des scènes — j'en ai connu — où il n'y a que vous et le public, comme dans *Ils étaient tous mes fils* d'Arthur Miller. Celle qui précède le suicide du père est une splendeur, une scène riche d'émotion. Vous atteignez alors, si le public marche, un quasi-orgasme. C'est un danger. Il y en a qui se complaisent dans ces moments où l'on sent le public pendu à ses lèvres. Ils créent des silences interminables pour en jouir et faire durer le moment. Une sorte de griserie, d'ivresse.

C'est dans des situations comme celles-là qu'on voit un grand acteur tenter des expériences qui seraient ridicules et casse-gueule de la part d'un autre. Il peut réussir et, alors, ça devient génial. Avoir l'instinct et le flair de sentir jusqu'où on peut aller et oser… Gérard Philipe agissait souvent comme ça. Dans *Le Prince de Hombourg*, il avait terminé sa grande scène de désespoir en se roulant d'un bout à l'autre du plateau. Il s'est mérité des applaudissements à tout rompre. N'importe qui d'autre aurait récolté des huées, surtout devant le public parisien qui n'aime pas beaucoup ce genre de démonstration. Il a senti qu'il pouvait oser et il l'a fait.

Contrairement à ce que l'on peut penser, il est possible de bien habiter un personnage historique sans le connaître parfaitement. C'est le rôle du metteur en scène de bien le connaître. Pour l'acteur, c'est moins nécessaire parce qu'il doit jouer le rôle créé par l'auteur de la pièce. C'est le personnage de la pièce, non celui qui a véritablement existé, qui doit faire résonner des émotions chez soi et, par le fait même, chez le spectateur. Quand j'ai joué Cauchon dans *Sainte Jeanne,* je me suis amusé à lire sur cette époque parce qu'elle me fascinait, mais je ne me suis pas servi de ça pour composer le rôle. Il faut partir du texte : c'est le personnage de la pièce que vous jouez. Ce sont les répliques de la pièce que vous dites, non celles qu'il aurait pu dire dans la vraie vie. Je crois même qu'en connaissant trop le personnage historique, on pourrait nuire à la pièce. Jouvet interdisait absolument à ses comédiens de lire les nombreuses études universitaires qui pouvaient avoir été publiées sur une pièce qu'il allait monter. Ce sont deux approches différentes, l'approche intellectuelle et l'approche intuitive. Je ne crois pas être un acteur cérébral.

… sortir d'un rôle

En général, je sors de mes rôles assez facilement, mais ce n'est pas toujours le cas. Il y a des pièces dans lesquelles on a tendance à s'engager davantage. Sur scène on vit parfois des situations qui nous touchent de près et là, la frontière entre la scène et la réalité devient encore plus ténue. Je me suis tellement investi dans *Le Long Voyage vers la nuit* de O'Neill que je sortais de scène épuisé, vidé. Il se passait des choses dans cette pièce qui me rappelaient d'affreux souvenirs. Quand vous avez connu des situations semblables dans votre vie privée, ça peut vraiment vous torturer. Cette longue pièce qui n'en finissait plus m'annihilait complètement, physiquement et moralement. C'était tellement sombre et dur qu'il fallait se donner à fond ou ne pas l'interpréter. C'était difficile à vivre pour les miens. Il faut savoir doser sinon on ne survivrait pas. D'ailleurs, ce n'est pas pour rien qu'il y a beaucoup de déséquilibrés dans le métier. Lors de mon retour de Paris, Roger Garceau m'avait bien fait rire. Nous étions en octobre je crois, au début de la saison théâtrale, et je n'étais pas encore très habitué à ce travail incroyable que l'on pouvait abattre ici. Il m'avait dit : « Tu vois, tous ces gens-là te paraissent équilibrés. Attends mars et avril, ils seront tous devenus fous, des malades qu'il va falloir enfermer ! » Effectivement… et je ne serais pas étonné d'être tombé dans le même travers !

Ça explique aussi que, la plupart du temps, on a de la difficulté à aller se coucher en sortant de scène. Est-ce qu'on demande à un plombier qui a fini sa journée à cinq heures d'aller se coucher à six heures ? C'est un peu la même chose. Quand on sort du théâtre, on est tellement exalté qu'il faut un certain temps avant de décompresser. On aboutit au restaurant et on boit, parfois outre mesure, pour trouver une détente, un soulagement. Si l'on exagère, ça devient évidemment un danger. Ou alors, il y a le phénomène suivant : on a fui la réalité pendant trois ou quatre heures sur scène et on ne veut pas la retrouver cette réalité. Alors, on sort de scène et on essaie de trouver un autre moyen de continuer à la fuir, à se fuir soi-même, à s'évader. Souvent, c'est par l'alcool ou la drogue. J'ai eu de la chance de ne pas toucher à la drogue mais l'alcool, ça m'est arrivé.

Christopher Plummer racontait, en entrevue, qu'à Stratford, il y avait une mode qui consistait à jouer avec « un verre dans le nez ». Ça pouvait aller assez loin. Par exemple, un de ses camarades qui jouait le rôle du spectre du roi dans *Hamlet*, avait un monologue à faire du haut d'un rocher. Il lui avait demandé de le tenir par les chevilles parce qu'il était tellement bourré qu'il n'était pas sûr de ne pas dégringoler en bas. C'était devenu une sorte de défi : qui en ayant bu le plus pouvait donner la meilleure performance, sans bafouiller, sans trou de mémoire… Ils étaient jeunes, il va sans dire.

En général, j'ai eu le privilège de sortir assez rapidement de mes rôles. J'avais intérêt, car dans ce pays, on travaille tellement vite ! On quitte une production et on saute dans une autre à une vitesse folle. Dans les grandes capitales, on peut jouer en alternance les mêmes pièces pendant six mois, un an ou deux, comme c'était le cas quand j'étais au TNP. Les acteurs peuvent, à la suite d'un succès qui se prolonge, rester un an sans travailler. À Paris, Michel Serrault et Jean Poiret ont joué *La Cage aux folles* tous les soirs pendant sept ans. Dans ce cas-là, on ne se jette pas à l'eau tous les soirs ! Mais ici, l'avènement, dans les années 1950, de la télévision et de tous les théâtres a fait qu'on était très en demande. On se partageait tous les rôles et il fallait en sortir rapidement.

Il n'empêche que certains rôles vous marquent. Ce métier vous construit, vous bâtit, et ce n'est pas impunément que vous vivez des heures dans la peau d'un autre, avec les mots d'un autre, les sentiments d'un autre. Il vous en reste quelque chose. Je me demande si, à force de jouer la sincérité des autres, on n'en arrive pas à en émousser la sienne propre. Je me pose la question, car il m'est arrivé, avec le recul du temps, de me rendre compte que, dans certaines situations bien précises et assez graves, j'avais pu réagir avec dureté. Je le regrette aujourd'hui, mais il est trop tard. Donc, cette sensibilité nécessaire pour jouer au théâtre, vraisemblablement, je ne l'éprouvais plus dans la vraie vie.

Dans sa condamnation du théâtre, Bossuet fulminait et disait que l'âme était atteinte. Je pense qu'il y a un peu de vrai là-dedans. Il faut dire qu'ici, dans les années 1940, le clergé ne se gênait pas pour interdire les pièces qu'il jugeait osées. Et les mots faisaient peur. Mgr Vachon, du diocèse d'Ottawa, s'était insurgé contre la présentation de la pièce *Le Viol de Lucrèce* que nous avions montée avec les Compagnons. C'est un critique montréalais, René O. Boivin, qui détestait le père Legault, qui avait déclenché le bal. Nous avons donc retranché le mot « viol » dans le titre : ça ne changeait pas le contenu, qui était d'une moralité totale, mais tout le monde n'y a vu que du feu. Rien ne choquait dans cette pièce si ce n'est le viol lui-même qui était d'ailleurs décrit comme un acte abject. À Ottawa, nous avons joué en remplacement, *Antigone* d'Anouilh qui, sur le plan du contenu, pouvait bien davantage prêter le flanc aux interprétations et aux inquiétudes. De toute façon, la morale n'a rien à voir avec l'art ; il ne doit pas y avoir de censure en art.

Être dirigé : le metteur en scène et le comédien

J'ai tout de même mes propres critères pour évaluer mes performances. Il faut avoir, dans le métier, quelques bons amis capables de vous dire la vérité. C'est important. Dans le temps où je côtoyais beaucoup Guy Mauffette, il jouait bien ce rôle de critique. Il savait dire les choses telles qu'elles étaient, mais nous nous sommes perdus de vue. Dans le milieu, je peux toujours compter sur Jean et Françoise Faucher ainsi que sur Jean-Louis Roux, de vieux amis à qui je peux me fier, et sur ma femme, Andrée, quoique bien clémente parfois. Lorsque j'ai créé *Un parc en automne* de Louise Maheux-Forcier au café de la Place des Arts, je n'étais pas sûr de mon interprétation et j'avais demandé à Jean-Louis d'assister aux premières représentations. Je l'avais bien un peu embêté avec ça, mais il est venu et ses conseils m'ont été précieux.

Habituellement, c'est le rôle du metteur en scène de vous dire ce qui se passe. On ne se voit pas, sur scène. Parfois on pense jouer juste, puis on s'aperçoit que ça ne va pas. Il faut que le metteur en scène ose vous diriger. De bons directeurs d'acteurs, on n'en trouve pas à tous les coins de rue. Actuellement, les relectures sont très à la mode. Plusieurs jeunes metteurs en scène veulent absolument faire quelque chose de nouveau, de différent, et commencent par suggérer des relectures de pièces. Il faudrait peut-être commencer par une lecture pour comprendre la pièce. Si on ne la comprend pas, on laisse tomber! Je ne sais pas si c'est parce que je vieillis, mais il me semble que la situation empire. Va pour le neuf et le moderne, mais il faut que ça corresponde à quelque chose et que ce ne soit pas que de l'esbroufe!

En tant que comédien, on sent des affinités avec certains metteurs en scène, et c'est parfois réciproque. Quand on travaille souvent avec quelqu'un, on finit par se deviner, par se comprendre à demi-mots, comme un vieux couple. J'ai souvent joué sous la direction de Jean Faucher, dans une quinzaine de téléthéâtres et une dizaine de pièces au théâtre. Nous avions développé une grande complicité. Je lui faisais entièrement confiance. J'ai toujours pensé qu'il fallait qu'un metteur en scène aime ses comédiens. J'en ai connu qui détestaient les acteurs, qui les considéraient comme une race capricieuse, emmerdante, comme une bande de cabots jamais contents de leur sort. S'ils avaient pu s'en passer, ils l'auraient fait. D'ailleurs, Gaston Baty, célèbre metteur en scène français, avait trouvé le moyen : il était passé aux marionnettes. Évidemment, c'est une solution… Et avec l'avènement du virtuel, on pourra peut-être se passer complètement des acteurs!

Le metteur en scène doit aimer les comédiens et les comédiennes tels qu'ils sont, avec leurs talents, leurs déficiences, leurs caprices. C'est très important, ce lien. L'acteur va sentir très vite s'il est accepté. Il arrive totalement disponible et se confie au metteur en scène en lui disant : « Je vous appartiens… » Si celui-ci ne veut rien en faire, c'est embêtant. De nos jours, il y a de plus en plus de femmes metteures en scène et c'est heureux. C'est intéressant de travailler avec elles. Généralement, elles sont plus intuitives, plus instinctives et vous font remarquer des choses que vous n'auriez peut-être pas vues. Mais il arrive que certaines perdent la maîtrise de la production par manque d'autorité. C'est une énorme responsabilité que celle du metteur en scène. C'est le grand « boss ».

Puis, il ne faut pas se raconter d'histoire : vous pouvez être choisi pour faire partie d'une distribution pour différentes raisons… à cause de la notoriété que vous apportez sur les affiches, parce que vous ne coûtez pas cher, parce qu'on voulait quelqu'un d'autre qu'on n'a pas pu convaincre! Comme il peut aussi arriver que vous refusiez un rôle parce que la distribution ne vous plaît pas. Il y a toutes sortes de raisons pour rejeter un rôle! Le théâtre est un travail collectif, et s'il n'y a aucune connivence possible avec votre partenaire principal, homme ou femme, celui avec qui vous avez des rapports étroits dans la pièce, vaut mieux ne pas s'aventurer. Il y a des scènes injouables avec quelqu'un qui vous est particulièrement antipathique. Vous pouvez toujours tricher, il y a toutes sortes d'accommodements possibles, mais la distribution idéale comprend des comédiens qui se sentent à l'aise entre eux. Et le rôle du metteur en scène est, en grande partie, de favoriser la création de ces liens aux répétitions.

Le meilleur exemple de cette nécessaire complicité entre partenaires, c'est peut-être dans les duos d'acteurs qu'on le retrouve. C'est un défi énorme, pas loin du *one man show*! Il faut des affinités étroites avec la ou le partenaire; c'est beaucoup plus stressant que de se fondre dans une équipe. S'il y en a un des deux qui est mauvais et si ça se trouve que c'est vous, le spectacle s'écrase et vous en êtes responsable. Mais c'est en même temps un exercice de style passionnant. Si vous êtes sur la même longueur d'ondes que votre partenaire, ça peut donner un résultat étonnant. Je me souviens, entre autres, de *Cher Menteur* que j'ai joué avec Yvette Brind'Amour au petit théâtre du café de la Place des Arts. J'avais vu la pièce interprétée par Maria Casarès et Pierre Brasseur en 1960 au Her Majesty, à Montréal. Disons que le défi était de taille! Mais l'atmosphère intime des lieux se prêtait admirablement au contenu de l'œuvre. J'en garde un souvenir extraordinaire, comme de toutes ces pièces que j'ai jouées en duo avec Gisèle Schmidt, *Aléola,* Rita Lafontaine, *L'Examen de passage,* ou Françoise Faucher, *Un parc en automne.*

Oublier son rôle : l'écueil des trous de mémoire

Quand on est comédien, il est préférable d'avoir de la mémoire et de ne pas trop se fier aux souffleurs. L'écueil des trous de mémoire est, en effet, réel. Certains acteurs s'en sortent tout de même très bien, mais il faut être un grand nom pour ne pas y laisser sa réputation. Quand nous avons joué *Macbeth* au festival d'Avignon, Vilar, qui était à ce moment-là malade et fort préoccupé par sa situation fragile au TNP, a connu les affres de l'échec. Il ne savait plus son rôle. Il s'est même rendu compte, en pleine représentation, qu'il y avait une scène que nous n'avions jamais répétée. Dans la scène des sorcières, au début de la pièce, il apparaissait en haut, à travers une fenêtre du palais des Papes transformée pour imiter l'entrée d'une grotte. Il avait caché son texte dans sa houppelande et, croyant que le public ne le verrait pas, s'était mis à le lire sans se méfier de l'éclairage et du petit micro caché. Chaque fois qu'il tournait une page, le bruit était amplifié, et l'ombre projetée sur le mur opposé le trahissait. Ce fut infernal. Avant d'entrer en scène, Vilar s'était demandé s'il devait jouer étant donné son état de santé et ses nombreux soucis. Mais il fallait jouer : au TNP nous n'avions pas de remplaçants pour les rôles principaux. Seuls les deuxième et troisième rôles pouvaient être remplacés sur-le-champ. La critique parisienne avait été finalement assez chic avec lui et avait décidé d'attendre les représentations de Paris avant de critiquer l'ensemble du spectacle.

C'est aussi arrivé à Jouvet, dans *Dom Juan*, d'oublier son texte. Jean Gascon était dans la salle ce soir-là et m'avait tout raconté. Sans paniquer, il est sorti en coulisses chercher la brochure et a enchaîné en lisant le texte sur scène, au vu et au su de tout le monde. Finalement, ça lui est revenu. Il a mis la brochure dans sa poche et a continué sur l'élan, mine de rien, avec un sang-froid exemplaire. Il a été applaudi à tout rompre. Il fallait s'appeler Jouvet. C'est un imprévu qui a finalement contribué à humaniser la grande vedette qu'il était. Un débutant se serait affolé et serait peut-être sorti de scène. Dans l'histoire du théâtre, il y a une anecdote qui révèle la hantise qu'éprouvent les comédiens pour le trou de mémoire. On raconte que ce serait arrivé à un acteur célèbre, peut-être Laurence Olivier, un soir de première. Un silence total en scène. Ils étaient plusieurs comédiens et personne ne disait mot. Malaise général. Alors, Olivier s'est amené doucement vers le souffleur, qui a réussi à pousser la réplique. Et Olivier d'ajouter : « *We know the line dear but, who says it* * ? » Les risques du métier.

---

* « On connaît la réplique, cher, mais qui la prononce ? »

Il y a des comédiens qui deviennent champions dans l'art de faire du texte dans ces moments, surtout ceux qui ont déjà travaillé au cabaret, comme Denis Drouin ou Jean Duceppe. Pour un acteur comme moi, qui n'avait pas cette formation, ça pouvait devenir assez éprouvant de donner la réplique à quelqu'un comme Duceppe qui, alors qu'il était jeune et travaillait comme un dingue, pouvait improviser et rajouter du texte quand il n'était pas sûr de ses répliques. Je me souviens d'une assez mauvaise expérience avec Duceppe. Peu après mon retour d'Europe, il avait monté une pièce à l'hôtel de Vaudreuil, *Guillaume le confident*. Le soir de la première, il s'est mis à rajouter du texte de façon totalement imprévue et imprévisible. J'étais dérouté au point de refuser de jouer si Jean n'acceptait pas de suivre davantage le texte. Nous avons dû répéter au téléphone pendant la nuit — tellement il était occupé le jour —, pour revoir toutes nos scènes. Finalement, nous nous en sommes sortis, mais le public devait sentir notre malaise! Ça m'avait rendu furieux, mais Jean, avec tout son talent, était comme un poisson dans l'eau. Il avait une telle popularité que les spectateurs auraient pu le suivre n'importe où. Ce sont les comédiens qui lui donnaient la réplique qui pouvaient avoir l'air hébétés!

Les rôles préférés

Chaque fois qu'on accepte un rôle, il s'agit presque toujours d'un coup de cœur plus ou moins marqué. En ce sens, il est bien difficile de nommer mes rôles préférés. Par boutade, on dit toujours que c'est le dernier. Il y a un peu de vrai dans cette réplique, mais il m'est aussi resté des bribes, des passages complets de rôles qui m'ont frappé au point où je peux encore les réciter de mémoire. Chez les Compagnons, j'ai découvert la langue de Racine, qui est tellement belle, superbe à travailler. Je suis encore imprégné de pans entiers du rôle d'Oreste dans *Andromaque*. Est-ce dû au fait que l'œuvre entière était pour moi une telle découverte, presque un cadeau? Je ne sais trop. La même chose pour le personnage de Créon dans *Antigone*. Par la suite j'ai bien aimé jouer Banquo dans *Macbeth* de

Shakespeare. J'ai regretté de ne pas avoir joué davantage de Shakespeare, que j'aime beaucoup. Son théâtre est tellement poétique. Il y a chez lui une modernité qui ne se retrouve pas chez Racine, par exemple.

Quand on pense aux rôles préférés, on ne considère pas ce qu'on appelle les rôles de soutien. En boutade on dit : « Il n'y a pas de petits rôles, il n'y a que de petits acteurs et de petits cachets… » Pourtant, c'est très ingrat un petit rôle et parfois plus difficile à jouer qu'un grand, parce que vous avez peu de temps pour cerner et imposer votre personnage. Et souvent, ce malheureux petit rôle auquel est attaché un misérable cachet exigera de vous le même travail, le même nombre d'heures de répétition, tous les enchaînements, les générales. C'est pourquoi on préfère avoir plus de texte parce que, tant qu'à être présent tous les soirs, aussi bien avoir quelque chose à faire…

Les échecs et les succès au théâtre

Dans ses mémoires, Jean-François Revel écrivait : « L'équation selon laquelle l'insuccès démontrerait la qualité est aussi fausse que l'équation contraire qui associe la valeur au succès. » À mon avis, le succès n'est pas la caution absolue de la valeur. C'est subjectif tout ça. Mais il y a eu ici une époque où la réussite d'un spectacle voulait quasiment dire qu'il n'était pas valable, où les théâtres qui avaient trop de succès s'attiraient presque le mépris de la critique, de certains critiques du moins. Est-ce que le premier but d'un théâtre n'est pas de plaire, d'attirer le public et d'avoir du monde dans sa salle? On ne joue pas pour soi, mais pour les autres. À moins de faire comme Vilar et d'offrir des conditions facilitant la fréquentation en baissant le prix des places! Je ne vois pas pourquoi les déficits, les insuccès et les bides seraient des signes de chefs-d'œuvre. Je ne suis pas de cet avis.

Au Québec, notre marché est très restreint, et pour percer le marché français, c'est la croix et la bannière! Ici, dans tous les domaines, le problème principal est le bassin réduit de clientèle : on n'a pas de public. Que l'on fasse encore du théâtre à Montréal me dépasse! Chez Duceppe, par exemple, on joue trente-sept représentations régulières, sans compter les supplémentaires. Un gros succès peut aller jusqu'à quarante. Plus que ça, c'est le triomphe! C'est énorme pour Montréal; mais quand on y pense, c'est un mois et demi de spectacle, après deux mois de répétition. Le TNM, quant à lui, vous embauche pour vingt-quatre représentations. C'est peu quand on songe au travail nécessaire!

Il y a peu de pièces qui connaissent de véritables triomphes. Chez Duceppe, nous avons atteint quarante représentations avec *Ivanov* de Tchekhov... un très beau spectacle de Yves Desgagnés. Un succès assez inattendu ma foi! Quand nous avons commencé les répétitions, nous ne savions pas trop où nous allions. Je me souviens encore de la première lecture. Je ne connaissais pas cette œuvre de Tchekhov qui est rarement jouée. Comme plusieurs de ses pièces, ça se passe dans un milieu clos où tout le monde s'ennuie, se traîne un peu les pieds et discute de la difficulté de vivre en prenant le thé... J'ai pensé que nous risquions de lasser les gens avec pareil sujet. Ce n'est pas ce qui s'est produit. Desgagnés a monté ça d'une telle façon! Il n'y a qu'une façon de monter une pièce au théâtre et c'est... la bonne. Il peut s'en présenter dix, mais il faut trouver celle qui convient précisément à cette œuvre, en respectant l'esprit de l'auteur tout en obéissant à la mécanique de la pièce.

Le public d'ici me semble encore largement un public de télévision. Notre culture est une culture de télévision. Si, en tant que comédien, vous passez un an ou deux sans en faire, les gens vous oublient. Il y a là quelque chose de désespérant. Quand je suis revenu en 1955, j'ai été étonné par la sévérité du public québécois, moins enclin à admirer et à applaudir que les publics européens. J'ai interprété cela comme une réaction compensatoire à un sentiment d'infériorité. Heureusement, ça s'est beaucoup amélioré et la Nouvelle Compagnie théâtrale de Georges Groulx, Gilles Pelletier et Françoise Graton a fait un travail remarquable d'éducation à ce sujet.

Le rôle de la critique

Au TNP, quand j'entendais des commentaires négatifs sur Vilar, je me disais que les Français étaient râleurs ; mais j'avoue que ça ne me déplaisait pas cette habitude de la critique. Pour moi, dire les choses comme elles sont, c'est la santé. Le premier conseil que m'aient donné Jean-Louis Roux et Éloi de Grandmont, quand j'essayais de reprendre contact avec le milieu à mon retour de Paris, était de sourire à tous et de ne pas gueuler contre qui que ce soit. Je trouvais ça extrêmement dommage, et malsain en plus. Encore aujourd'hui, il y a en France une liberté de critique qui parfois dégénère, je l'avoue, mais il me semble que c'est constructif de dire que tout n'est pas bien. Ici, souvent on n'ose pas. Ou alors, on tombe dans l'excès contraire et on se met à démolir systématiquement, à tort et à travers.

Personnellement, je vais accepter plus facilement une critique qui vient de quelqu'un qui s'y connaît, surtout si c'est une personne de terrain qui sait de quoi elle parle. J'en ai surtout contre ceux et celles qui ne connaissent pas la pratique, qui ne se sont jamais mouillés en tant qu'acteur ou dramaturge. Nous avons eu, par exemple, Jean Béraud et Jean Despréz — qui était une excellente critique, très dure parfois, injuste souvent, c'est le lot hélas ! des critiques — qui s'y connaissaient. Despréz avait fait ses preuves comme actrice, auteure et dramaturge. Alors là, on respecte son jugement. Je crois surtout que les critiques sont là pour signaler l'œuvre et laisser le spectateur juger. Je les lis le moins possible.

Paradoxalement, en tant que spectateur de théâtre, je ne suis pas tellement critique, trop indulgent peut-être. Je vois toujours le travail accompli derrière. Je peux même dire que je me laisse embarquer facilement, je marche à fond, je ris, je participe. Je suis plus sévère et intransigeant envers un spectacle qui vient de l'extérieur. Autant que possible, j'évite de faire la comparaison entre les diverses interprétations d'une même pièce. On ne pourrait jamais plus toucher à de grands rôles si on considérait une brillante interprétation comme étant définitive ! Je sais pertinemment qu'un comédien honnête va donner son maximum.

Quand une pièce est bien reçue et que le public l'apprécie, on se sent satisfait. Mais quand ça ne marche pas, c'est pénible. Je me souviens de la première de la pièce *Le Long Voyage vers la nuit* de O'Neill. Interminable. François Barbeau avait un tel respect du texte — ce qui l'honore — qu'il ne voulait pas couper : nous avons terminé à minuit et demi. Alors, les gens inquiets de leur véhicule — le stationnement fermait à minuit — ont commencé à quitter la salle à partir de minuit. Ils avaient beau le faire discrètement, sur la pointe des pieds, ça se voyait et ça s'entendait. Sur la scène, on entend tout, du moindre petit bonbon déballé à la toux la plus timide. Par la suite, nous nous sommes mis à couper dans le texte et, d'une représentation à l'autre, cela s'améliorait. Lorsqu'une pièce ne plaît pas, même si vous avez des acteurs de premier plan, c'est irrémédiable. Je n'ai pas connu de vrais flops mais je me souviens de certaines pièces qui n'ont pas bien marché.

Pendant la grève de Radio-Canada, en 1959, nous avions monté *Venise sauvée* de Morvan Lebesque. C'est une très bonne pièce, à mon avis, d'autant plus qu'elle était tout à fait d'actualité pendant cette grève-là. Il s'agissait d'une œuvre portant sur une révolte au XVIᵉ siècle, sous le règne du doge de Venise. Ça n'a pas marché. Nous la jouions à l'Orpheum avec le TNM. Gascon a tout essayé, allant jusqu'à offrir des places gratuitement aux grévistes… qui n'aimaient pas, tout simplement. La pièce ne plaisait pas. Il faut dire que lorsque l'on sent que ça ne passe pas, cela peut affecter la qualité du jeu. Au départ, on fait tout pour que ça passe mais si ça ne marche pas, on peut décrocher. À tort peut-être, mais c'est humain. Vendre un produit qui ne plaît pas, ça décourage, c'est frustrant. On rentre au théâtre un peu à reculons ces soirs-là. Si ça plaît, ça va tout seul. C'est la fête.

Les conditions d'exercice du métier au Québec

Au Québec, nous n'avons jamais eu de troupe permanente subventionnée. Cela a été la déception de tous ceux qui ont donné une partie de leur vie au théâtre, les Dagenais, Gascon, Groulx, Roux.

Nous n'avons jamais eu de troupe durable, composée de comédiens et de comédiennes qui ne font que ça, sérieusement. Faire partie d'une équipe permanente, ce n'est pas entrer en religion, mais être sous contrat avec une compagnie, c'est accepter d'être à sa disposition. Vous êtes toujours libre de compléter votre horaire à votre goût, mais vous êtes d'abord lié à la compagnie. Ici, le drame, c'est que nous avons toujours fait du théâtre en fonction de notre travail à la télévision. C'est pourquoi j'ai une telle admiration pour des gars comme Gascon et Roux qui ont refusé énormément de sous et de propositions pour se consacrer au théâtre et à leur compagnie, le TNM.

Nous n'avons même pas de troupe « nationale ». En France, il y a la Comédie-Française, l'Opéra comique, le TNP, le théâtre de la Colline et, en province, toutes les compagnies subventionnées qui gravitent autour des maisons de la culture. Jean Gascon a bien essayé d'en mettre une sur pied à Ottawa, au début des années 1970, sa dernière tentative dans ce sens. Il m'avait approché pour en faire partie, mais ce n'était pas possible à ce moment-là. Et c'était fragile tout ça. Ça n'a pas duré, d'ailleurs. Il me semble qu'après tous les efforts qui ont été faits par ces pionniers, nous devrions avoir au moins une troupe subventionnée à plein par l'État et qui pourrait travailler dans des conditions hautement professionnelles et sérieuses. Nos gouvernements n'ont jamais pris ça au sérieux, il n'y a jamais eu de véritable politique du théâtre. Comment se fait-il que nous n'ayons même pas de théâtre municipal, hormis le Théâtre de l'Île de Hull ? En Europe, c'est très fréquent des troupes permanentes subventionnées par la municipalité. Il s'y fait de l'excellent théâtre.

Troupes et répertoire

À l'heure actuelle, on éparpille les millions dans une multitude de petites compagnies de valeur et de qualité diverses, et quelquefois fort discutables. Au bout du compte, tout le monde manque d'argent. Quand on parle d'une troupe permanente, d'une troupe de répertoire, ça n'empêche pas les autres troupes d'être subventionnées. Il faut aussi du théâtre de recherche, de laboratoire et de création. Chacun sa spécialité. Chacun mérite de vivre et d'avoir son public.

Il y a des compagnies qui visent un public qui ne viendrait peut-être pas au théâtre autrement. On l'a souvent reproché, entre autres, à la Compagnie Jean-Duceppe. Le TNM a frôlé la faillite deux ou trois fois à cause de son répertoire trop recherché, trop classique, qui ne touchait pas le public. Au Québec, on dirait qu'il n'y a plus de public pour la tragédie classique actuellement. Peut-être parce qu'on ne connaît plus la littérature classique. Ça donne un peu la nostalgie de ces étudiants d'antan qui ne pensaient pas à un oiseau quand ils entendaient parler de Corneille! Depuis vingt ans, il me semble que nous nous sommes coupés de ces œuvres classiques, extrêmement valables. La nouveauté est indispensable, mais est-il bien nécessaire de rompre avec tout ce que le passé possède de richesses?

Cela dit, je crois que c'est la Compagnie Jean-Duceppe qui ressemble le plus à une troupe permanente. Contrairement au TNM qui penche plus vers les grandes œuvres du répertoire, la Compagnie Jean-Duceppe se veut plus accessible, plus populaire. J'y ai joué régulièrement ces dernières années : dix-huit pièces en dix-huit ans. Et de bien beaux rôles! Elle est formée d'un noyau de comédiens et de comédiennes qui reviennent plus ou moins régulièrement, et qui sont encadrés par une structure qui chapeaute tout un travail d'organisation autour du théâtre, assurant un bon recrutement d'abonnés. C'est important ce travail, semblable à celui que faisaient les Amis du TNP. Avec une structure populaire et un répertoire plus accessible, la compagnie commence l'année avec dix-sept mille ou dix-huit mille abonnés et peut se permettre de faire son budget à l'avance.

Le métier de comédien

On l'a souvent répété, les comédiens sont plutôt mal payés au théâtre. Il y a même eu une époque où, dans les pièces modernes, ils devaient fournir eux-mêmes leurs costumes, si bien que les acteurs, et surtout les actrices, payaient presque pour jouer au théâtre. Certaines comédiennes obtenaient des rôles parce qu'elles possédaient la garde-robe la mieux garnie! Avec le temps, les syndicats ont réglementé tout ça. Heureusement, car nous abîmions passablement nos vêtements avec les maquillages et la saleté des coulisses. À mon arrivée à Montréal en 1946, il fallait faire partie de l'Union pour travailler. À la radio, avant que l'Union s'occupe de réglementer le métier, c'était le commanditaire qui proposait un cachet et, souvent, les comédiens se retrouvaient à travailler pour pas grand-chose. À la télévision, c'était plus structuré, les tarifs, les heures de travail, les répétitions… Il existait des minimums et, à partir d'une certaine notoriété, nous pouvions discuter de cachets à part, en surplus et à la hausse, évidemment. Dans ce sens, la popularité était un avantage. Il en était de même au théâtre.

Il s'est produit des situations assez cocasses auxquelles l'Union a dû remédier. Je me souviens, entre autres, de *Ondine* de Giraudoux, dans laquelle Jean Gascon jouait le rôle du chevalier. Le réalisateur tenait à une comédienne débutante pour interpréter le rôle féminin principal. En raison de son inexpérience, elle avait dû travailler davantage en répétitions et, en vertu des règlements de l'Union, elle était payée à l'heure et au minimum. Or, elle avait fait tellement d'heures de répétition, qu'elle avait finalement obtenu un cachet supérieur à Gascon qui, lui, était un comédien célèbre et expérimenté!

On parle souvent du milieu du théâtre comme d'une grande famille. J'ajouterais que c'est de moins en moins vrai, dans la mesure où il y a plus de troupes et de jeunes qui s'intègrent régulièrement et que l'on ne connaît pas, forcément. Ce sens de la fraternité se développe surtout dans les troupes qui emploient souvent les mêmes comédiens et comédiennes. On se retrouve dans les mêmes productions et on finit par se connaître mieux. Comme dans toutes les familles, il y a des rivalités et parfois des bagarres, surtout quand on se retrouve plusieurs à vouloir le même rôle. Quand j'ai appris que Gascon montait *Richard II* de Shakespeare et jouait le rôle, ça m'a fait un petit pincement au cœur. C'est un rôle que je connaissais bien, et j'aurais certainement été ravi de l'interpréter; j'avais encore l'âge, j'étais à la limite... Ce sont de petites rivalités comme ça qui peuvent se produire, mais il ne faut pas exagérer. L'ambiance est très intense au théâtre, on y partage des émotions et pas seulement des répliques.

Jouer en vacances : le théâtre d'été

Quand je suis revenu au théâtre dans les années 1970, j'ai recommencé à jouer d'abord sur les planches des théâtres d'été, une façon qui m'apparaissait peut-être plus facile de réintégrer le métier. Mais je me suis toujours demandé si le répertoire du théâtre d'été se devait d'être plus léger, plus divertissant. Il me semble qu'il y a là un manque de confiance envers le public. Il fut un temps où l'on montait à peu près n'importe quoi, des pièces plutôt moches; alors les gens étaient déçus et ne revenaient pas. Depuis quelques années, le nombre de théâtres d'été a diminué, et il me semble que le répertoire s'améliore nettement. Il avait débuté sur un bien mauvais pied, avec des pièces de boulevard de piètre qualité. Les gens y allaient surtout pour rigoler.

Ma première saison de théâtre d'été remonte à 1957, au Centre d'art de Percé. À ce moment-là, la région de Percé n'était pas encore devenue la destination populaire des vacanciers. Ceux-ci, en petit nombre, se joignaient au public local, les gens des alentours. C'est Denise Pelletier, amie de Suzanne Guité, qui était arrivée avec cette idée d'aller lancer le Centre d'art. Nous étions les premiers pressentis pour l'inaugurer et, avec Georges Groulx et Lucille Cousineau, ma femme Denise et un jeune comédien, Louis Cusson, nous avions décidé de monter trois spectacles du coup, prévoyant jouer chacun d'entre eux pendant un mois. Nous avions commis la bêtise de présenter les trois premières la semaine de l'ouverture. Nous jouions *Le Printemps de la Saint-Martin* de Coward, *La Fleur à la bouche* de Pirandello, *Un caprice* de Musset et *L'Homme au parapluie* de Morum et Dinner. Tout un programme! Nous habitions le petit village de Barachois, à côté du Coin-du-Banc. Nous avons travaillé comme des dingues. Quand nous sommes arrivés là, la salle n'était pas prête, il n'y avait pas d'eau, pas d'électricité, les loges n'étaient pas organisées, les sièges commandés à Montréal y avaient été retenus faute d'avoir été payés. Des histoires insensées. Nous avons réussi à faire nos frais de peine et de misère. C'est dans ces conditions que tout a démarré à Percé !

J'ai aussi fait la première saison du théâtre de Joliette avec Duceppe en 1962, dans *La Cuisine des anges* d'Albert Husson. Par après, j'ai dirigé l'Estérel à Sainte-Marguerite-du-Lac-Masson avec Georges Groulx, pendant les étés 1963 et 1964. Nous l'avions repris de Paul Hébert. C'étaient un peu les années d'expansion des théâtres d'été. Cela m'a permis de réaliser quelques rares expériences de mises en scène. Très énervant. Le metteur en scène assume le stress de tout le monde. Le métier de comédien ne prépare pas nécessairement à la mise en scène. Ce sont deux mondes différents. Et comme je suis plutôt impatient de nature, je trouvais toujours que les choses n'allaient pas assez rapidement. Je voyais exactement ce que je voulais et je trouvais pénible de faire recommencer. J'avais aussi tendance à jouer le rôle pour l'acteur, ce qui est très mauvais. Il n'y a rien de pire, je sais. Je préfère me contenter de mon stress personnel ! Puis, je me suis fait un raisonnement de paresseux : tout allait bien dans mon métier, pourquoi aller chercher d'autres responsabilités ? Je n'en sentais pas le besoin.

Le théâtre en région et les tournées

Je me demande si l'avenir du théâtre en région ne passe pas par les auteurs régionaux. J'ai participé à quelques tournées dans les différentes régions du Québec et il me semble que, dans la mesure où le théâtre demeure une affaire de famille, une expérience collective, on aurait intérêt à encourager les initiatives du cru, les auteurs et les acteurs de la région. Mon sentiment, lorsque nous visitions les régions avec des pièces qui avaient obtenu un certain succès à Montréal, c'est que parfois notre prestation laissait les spectateurs un peu froids. Comme si la représentation ne les touchait pas. C'était un peu déprimant, nous sortions dans le froid et les gens avaient à peine applaudi. Nous nous sentions de trop et nous avions presque envie de rentrer chez nous. Nous ne sentions pas chez les spectateurs un engouement particulier. Après le spectacle, les gens nous parlaient de nos rôles à la télévision. C'est ça qui les intéressait. C'est peut-être parce que la pièce n'avait pas de résonance chez eux.

Nous avions souvent l'impression que les milieux de théâtre, qui auraient dû être les premiers à nous accueillir, ne nous désiraient pas trop… Mettez-vous dans la peau des gens de théâtre du coin qui vous voient arriver avec votre petite auréole de vedette de télévision ! Il n'y en a déjà pas beaucoup pour eux et vous venez presque leur prendre leur public. Ça crée une drôle d'atmosphère. Il y a un mot formidable au théâtre, c'est le mot communion. Pour établir une communication entre le public et ce qui se passe sur scène, il faut une vision. Il faut s'en aller ensemble vers le même but. Si vous partez dans votre direction et qu'eux restent là, à vous regarder aller, c'est raté. On en a un bel exemple avec les fresques historiques présentées au Saguenay depuis quelques années : on sent que les gens participent, se reconnaissent. Il y a un intérêt, comme lorsque nos chansonniers ont rompu avec le colonialisme français et américain, et qu'ils se sont mis à chanter des histoires de chez nous !

La dramaturgie d'ici

Dans la pièce d'Éloi de Grandmont *Un fils à tuer,* présentée en 1949, l'action se passait à l'époque de la Nouvelle-France. Nous la jouions « à la française ». Nous aurions très bien pu la présenter à Paris. Pas de différence. Sans être un grand succès, c'était valable et il fallait commencer par là. Mais c'est surtout à mon retour, en 1955, que je me suis mis à jouer dans des pièces écrites par des auteurs québécois. À ce moment-là, Radio-Canada avait pris l'initiative de consacrer une soirée par semaine aux œuvres d'auteurs canadiens-français présentées en téléthéâtres. Il y a eu les Marcel Dubé, Françoise Loranger, André Laurendeau, Louise Maheux-Forcier, Antonine Maillet, Claude Jasmin, et on pourrait en ajouter d'autres comme Pierre Gauvreau, Hubert Aquin, Jacques Languirand, Henri Deyglun… Encore une fois, on ne peut négliger le rôle de Radio-Canada. Quand les pouvoirs publics — qui ont les budgets — le veulent, quand ils ont une politique du théâtre et du spectacle, les résultats sont là. Radio-Canada encourageait les auteurs de chez nous et nous en a fait découvrir!

C'est absolument étonnant d'écouter aujourd'hui des extraits de téléthéâtres des années 1950 et 1960. Tout le monde parlait « à la française » et, dans certains cas, ça ne coulait pas de source! Nous avions des problèmes de diction et d'articulation. Tous nos auteurs de l'époque ont eu des difficultés avec cette histoire de langue. Quand ils mettaient en scène un conducteur de tramway, un premier ministre ou un marin, quel niveau de langue adopter? Marcel Dubé, un de nos premiers dramaturges d'importance, hésitait beaucoup, il ne savait pas trop quelle langue employer. Il n'était pas question de jouer en québécois à cette époque. Il a fallu attendre Michel Tremblay pour la grande rupture, en 1968, avec *Les Belles-Sœurs*. D'ailleurs, nous avons mis beaucoup de temps à exporter notre théâtre. Lorsque nous avons joué à Rome en 1969, avec le Rideau Vert, au Festival international de théâtre, nous avions monté *Hedda Gabler,* une pièce de Ibsen écrite en norvégien et traduite en français parisien. Assez hétéroclite comme aventure pour une troupe de Québécois! Il aurait fallu interpréter une pièce québécoise; après tout, nous en jouions depuis un certain temps déjà.

La question de la langue, même si elle ne fait plus débat aujourd'hui, a toujours été un drame pour les auteurs d'ici. À mon avis, le problème reste entier, même si on n'ose pas trop l'aborder de front, au risque de passer pour quelqu'un de dépassé. À mon époque, il y avait un certain snobisme qui voulait que le théâtre se fasse à la française. J'ai l'impression qu'aujourd'hui, il y en a un autre tout à fait contraire, qui veut que l'on parle de plus en plus mal, qu'on articule de moins en moins. Il y a là le danger de tomber dans une habitude acquise, et que l'on ne puisse plus en sortir! Pour moi, il n'y a qu'une langue française. Je n'en ai pas tellement contre l'accent d'ici mais plutôt contre le vocabulaire limité, la structure défaillante de la pensée, la syntaxe et l'articulation déficientes. Je pense que le dramaturge qui veut produire une œuvre qui aura une certaine pérennité, doit encore solutionner ce dilemme. Il ne peut pas y avoir d'œuvres littéraires qui durent au fil des siècles, sans une assise solide et structurée. Quand on compare la langue des Marseillais à celle des Québécois — pour se rassurer —, il me semble qu'on choisit un mauvais exemple. Les Marseillais sont encore plus articulés que les Parisiens! Ils prononcent toutes les syllabes, et leurs phrases sont construites correctement sur les plans de la grammaire et de la syntaxe. Nous, il nous arrive de nous exprimer par borborygmes, par onomatopées… Je vois toutes ces jeunes passions au service de cet art que je sers du mieux que je peux depuis si longtemps, et ça me bouleverse!

Lorsque nous avons joué *Gapi* et *Évangéline Deusse,* d'Antonine Maillet, au festival d'Avignon à l'été 1978, il fallait entendre le public réagir malgré l'accent acadien très prononcé des personnages de la pièce. Ça m'a littéralement soufflé. Tout portait exactement comme chez nous. C'était extraordinaire. Le public riait aux endroits où il fallait. Nous sentions que les gens comprenaient tout malgré l'accent, le vocabulaire et les expressions un peu archaïques. Le premier soir, après six ou sept saluts, alors que nous retournions à nos loges sous le plateau, le directeur est venu nous chercher parce que les spectateurs nous réclamaient de nouveau. Ce n'était pas de la politesse. Ils avaient tout compris. L'accent acadien serait-il plus facile à comprendre que le joual? En tout cas, les gens nous attendaient après le spectacle pour nous parler de notre pays, l'Acadie! En tant que Montréalais, je les dirigeais vers Viola Léger qui jouait, en même temps, *La Sagouine* et qui pouvait les informer mieux que moi sur l'histoire de son coin de pays. Cela dit, c'était assez émouvant ce retour à Avignon après vingt-cinq ans d'absence. J'y avais joué avec le TNP entre 1953 et 1955. À peu près le même dispositif : les voûtes, l'arrière-scène, les couloirs du palais des Papes. Rien n'avait changé.

Dans *Gapi*, j'interprétais le rôle de Sullivan. J'avais justement refusé celui de Gapi à cause de l'accent acadien que je ne me sentais pas capable de rendre avec l'authenticité de Viola Léger. Le personnage de Sullivan, une espèce de *Jack-of-all-trades* qui avait couru le monde, me semblait plus abordable. J'en ai fait une sorte de Québécois vaguement Irlandais et, avec un accent inventé sur mesure, ça pouvait toujours aller. Mais Gapi, je n'aurais pas pu : on ne m'aurait pas cru. Le rôle était beau, mais je ne pensais pas pouvoir le rendre. J'ai regretté de ne pas être capable de le jouer, mais je n'ai jamais regretté de l'avoir refusé.

Cela dit, je suis passé sans trop de difficultés de l'interprétation des classiques français à celle des dramaturges québécois. J'ai une facilité d'adaptation qui m'a permis de revenir assez facilement à l'accent d'ici. J'ai mis ça sur le compte de mes connaissances musicales : je peux adopter un accent étranger très rapidement, en me fiant à mon oreille. Au début, pour jouer des personnages très proches de mon univers culturel, je devais y penser davantage. Atteindre l'authenticité ou la vraisemblance est plus compliqué avec Tremblay qu'avec Racine ! Personne n'a connu le Néron de *Britannicus*, donc le public peut accepter plusieurs interprétations plausibles dans la mesure où l'acteur est à la hauteur du rôle. Tandis qu'un personnage vrai, comme vous pouvez en rencontrer tous les jours... tout le monde a une tante ou un oncle qui parle comme ça, agit comme ça ou éprouve ces sentiments-là. Si vous ne le rendez pas avec justesse, le public s'en aperçoit tout de suite.

Les créations... l'avenir

Le plus excitant, c'est de jouer dans des créations. Il y a toujours le petit suspens de savoir si ça marchera ou pas. Quand on joue un répertoire qui a déjà connu les feux de la rampe, on a des points de repère. Avec une création, on plonge dans le noir, c'est risqué et dangereux. Actuellement au Québec, il y a une profusion de créations, ce qui représente un enrichissement certain quand on se remémore d'où l'on vient ! Quand on voit le chemin parcouru, c'est extraordinaire, mais a-t-on le moyen de produire tout ça ? Ce que je déplore, ce sont surtout les conditions difficiles dans lesquelles les théâtres expérimentaux évoluent.

Si l'auteur d'une création est québécois, il risque de se montrer aux répétitions. Quand l'auteur a une vision et le metteur en scène une autre, parfois diamétralement opposée, la situation risque d'être très inconfortable pour le comédien, qui se retrouvera assis entre deux chaises. Très embêtant. Un dramaturge écrit pour être joué, c'est certain. Mais il y a plusieurs interprétations possibles. Il y a des auteurs qui aiment monter leurs pièces eux-mêmes. L'auteur fait ce qu'il veut avec son œuvre! Généralement, le metteur en scène a des affinités avec l'auteur, autrement, il ne le jouerait pas. Alors, ils se voient, discutent et s'entendent à peu près sur la ligne générale à suivre. Une fois que les répétitions démarrent, le metteur en scène préfère généralement ne pas avoir l'auteur dans les jambes.

Il y a des auteurs qui ne sont pas habitués au travail de répétition. Sans aller jusqu'à faire comme Antonin Artaud, qui était entré en scène sur les mains quand il jouait dans le *Jules César* de Shakespeare mis en scène par Dullin, les comédiens font des essais que le metteur en scène ne retient pas toujours. Il nous arrive même, en répétition, de jouer avec le texte, de faire des blagues pour détendre l'atmosphère. Un genre d'exutoire. Cela peut désarçonner l'auteur. La répétition, c'est tout un travail. Un peu comme une création collective, parce qu'au début, nous ne connaissons pas bien nos textes et nous improvisons. Mais je pense qu'à un moment donné, il faut que ça soit structuré, fixé. La représentation est l'aboutissement de ce travail.

Jouer, toujours jouer

Je travaille encore beaucoup, le moral est toujours là. La vieillesse ne m'a jamais tracassé et même si je regrette parfois de ne plus avoir les jambes et la résistance de mes vingt ans, ce n'est pas une obsession. Ce métier m'oblige à exercer ma mémoire et à me tenir debout sur scène, pendant des heures. C'est ce qui me permet de demeurer alerte. Tant que l'on voudra de moi, je pratiquerai ce métier. On ne prend pas sa retraite quand on est comédien. Au contraire, il y a toujours des rôles pour tous les âges. Et quand on ne peut plus se tenir debout, on nous fait jouer dans une chaise roulante!

Je préfère entrevoir ma retraite à jouer au théâtre plutôt qu'au golf ou aux cartes. Je rêve, comme blaguait souvent Jean Duceppe, de mourir en pleine santé, à 90 ans, de la main d'un mari jaloux! Dans le fond, j'ai davantage peur de la maladie que de la mort. Ce qui m'intéresse, depuis que j'ai ralenti mon rythme de travail, ce sont les rôles qui représentent un défi particulier ou ceux qui m'apportent un réel plaisir. Puis, à côtoyer tous ces jeunes, je me sens moins vieillir, je continue à être dans le coup. Le miracle de l'émotion toujours renouvelé. Rester chez soi à attendre le lendemain, ce n'est pas pour moi. Comme disait Guy Mauffette : « L'éternité, c'est long… surtout à la fin. » Moi, quand j'arrive en coulisses, je me sens à l'aise. Je vois tous ces comédiens, même si je ne les connais pas, qui pratiquent le même métier, partagent les mêmes affres, les mêmes inquiétudes. Sur scène et en coulisses, je me sens vivre!

Épilogue

QUICONQUE aura eu l'indulgence et la patience de me lire jusqu'au bout, aura certainement compris que ce livre n'est pas
une biographie, et encore moins une autobiographie. C'est ainsi que
nous l'avons voulu, dès le début, l'auteure et moi. Je veux rendre
hommage ici à son écoute attentive et à sa présence chaleureuse, qui
souvent m'ont permis de poursuivre alors que je voulais arrêter. Je
lui sais gré d'avoir su « rapailler » ces propos souvent décousus et de
les avoir présentés dans une prose fort agréable à lire.

Quant à celle ou celui qui juge ne pas avoir eu son lot de révéla-
tions croustillantes ou d'indiscrétions titillantes, je les renvoie aux
journaux spécialisés dans ce genre de ragots. Je n'ai pas voulu non
plus infliger au lecteur mes « états d'âme », ni relater certains événe-
ments douloureux qui ont pu marquer ma vie. J'estime que chacun
a suffisamment son lot en ce bas monde, sans qu'on l'afflige en plus
du sien propre : « Basta, la nostalgia », comme je m'amusais à le dire
quelquefois…

Si ce bouquin sans prétention peut inciter un jeune homme ou
une jeune fille, quelque part, à pratiquer ce métier qu'ils aiment par-
dessus tout, je serai comblé. Peu importe leur condition sociale, leur

éloignement des grands centres culturels, s'ils aiment ce métier —
difficile et pas de tout repos, j'en conviens — avec tout leur cœur,
leur esprit, leur âme, je leur dis : « N'hésitez pas, foncez! N'oubliez
jamais que la base essentielle de la réussite, du bonheur, est l'Amour.
L'amour du métier bien sûr, mais surtout l'amour des autres pour
lesquels vous travaillerez et qui vous le rendront au centuple. »

Annexes

Annexe I
Pièces jouées avec les Compagnons de saint Laurent

<u>Titre</u>	<u>Auteur</u>	<u>Rôle</u>
1946		
Antigone	Jean Anouilh	Garde 2
Le Jeu de l'amour et du hasard	Marivaux	Orgon
Le Chant du berceau	Gregorio y María Martínez Sierra	Le médecin
Les Romanesques	Edmond Rostand	Pasquinot
Le Médecin malgré lui	Molière	Géronte
Les Précieuses ridicules	Molière	Jodelet
1947		
Léocadia	Jean Anouilh	Figurant
Maluron	Félix Leclerc	Marcheglotte
Les Gueux au paradis	G. M. Martens et André Obey	Boule
La Savetière prodigieuse	F. García Lorca	Le savetier
L'Apollon de Bellac	Jean Giraudoux	Figurant
Andromaque	Jean Racine	Oreste
1948		
La Goutte de miel	Léon Chancerel	—
Au paradis ou les Quatre vieux	Léon Chancerel	—
Les Noces impromptues	Léon Chancerel	—
C'était une histoire	Jacques Tournier	—
Jofroi	Jean-Pierre Grenier	—
Antigone	Jean Anouilh	Créon
Le Viol de Lucrèce	André Obey	Tarquin
Le Bourgeois gentilhomme	Molière	Cléonte
La Ménagerie de verre	Tennessee Williams	Jim

Annexe II
Pièces jouées avec La Comédie de Saint-Étienne

<u>Titre</u>	<u>Auteur</u>	<u>Rôle</u>
1950		
L'Illusion	Jacques Copeau	Parmeno
Polyeucte	Pierre Corneille	Sévère
Divertissement poétique	Nelligan, Desnos…	
1951		
La Savetière prodigieuse	F. García Lorca	Jeune homme
Kagekiyo	Seami Motokiyo	Chœur
Le Bourgeois gentilhomme	Molière	Dorante et maître d'armes
Noé	André Obey	Cham
Les Fausses Confidences	Marivaux	Le comte
1952		
Amal et la lettre du roi	Rabindranâth Tagore	Le bailli
Les Précieuses ridicules	Molière	Figurant
Macbeth	William Shakespeare	Banquo

Annexe III
Pièces jouées avec le Théâtre de Babylone

Titre	Auteur	Rôle
1952 (été)		
Georges Dandin	Molière	Clitandre
L'Habit neuf du Grand Duc	Henri Ghéon	Peppino
La Jarre	Luigi Pirandello	—

Annexe IV
Pièces jouées avec
le Théâtre national populaire de Jean Vilar

Titre	Auteur	Rôle
1953		
Lorenzaccio	Alfred de Musset	Le cardinal Valori
La Mort de Danton	Georg Büchner	Fouquier-Tinville
Meurtre dans la cathédrale	Thomas Stearns Eliot	Hérault
Richard II*	William Shakespeare	Maréchal Willoughby
Dom Juan	Molière	Gussman
1954		
Ruy Blas	Victor Hugo	Don Manuel Arias
Le Prince de Hombourg	Heinrich von Kleist	Guelder
Macbeth*	William Shakespeare	Angus
Cinna*	Pierre Corneille	Polyclète
Macbeth	William Shakespeare	Angus
Mère Courage	Bertolt Brecht	L'homme au bandeau

1955
reprises de *Richard II, Ruy Blas, Macbeth* et *Cinna*.

---

* Au festival d'Avignon.

Annexe V
Téléthéâtres et dramatiques

Titre	Auteur	Rôle
1954		
Folie... douce folie	Eugène Cloutier	L'inspecteur de police
Illusions	Yves Thériault	L'aveugle
1955		
Sincèrement	Michel Duran	René
Il était une robe... ou la Robe couleur du temps	Robert Choquette	Armand Lafleur
Un cas intéressant	Dino Buzatti	Le professeur Claretta
Montserrat	Emmanuel Roblès	Montserrat
1956		
La nuit se lève	Marcel Dubé	Antoine
Le Ciel des oiseaux	Alexandre Rivemale	Le président
Le Miracle dans la montagne	Ferenc Molnár	Un avocat
Le Pont de Montreuil	Joseph Schull et Jean Despréz	Le major Pierre Martin
L'Affaire Lafarge	Marcelle Maurette	Un avocat
Pour cinq sous d'amour	Marcel Dubé et Louis-Georges Carrier	Pierre
Hamlet	Jacques Languirand d'après Thomas Kyd	Le Roi
L'Annonce faite à Marie	Paul Claudel	Jacques Hury
1957		
Cendres	Mac Shoub et Marcel Dubé	Dr Hahnemann
L'Orme de mes yeux	Jean-Robert Rémillard	François Lacoste
La Puissance et la gloire	Graham Greene	Lopez
Le Jeu de l'amour et de la mort	Romain Rolland	Claude Vallée
Le Printemps de la Saint-Martin	Noël Coward	Miguel de Molina
La Maison au bord de l'eau	Paul Alain	L'inspecteur Thévenot
Césaire	Jean Schlumberger	—
Les Fiançailles	Éloi de Grandmont	Le fiancé

Titre	Auteur	Rôle

1958

Le Malentendu	Albert Camus	Jan
Cargaison dangereuse	François Moreau	Vasio
Les Puissances de ce monde	Charles Morgan	—
Quand les chefs s'amusent	Eugène Cloutier	André
La Volupté de l'honneur	Luigi Pirandello	Fabio Colli
Les Deux valses	André Laurendeau	—
Profondeur 300	Maurice Gagnon	Brooks
À ceux qui viendront	André Berthiaume	L'autre
Le Paria	August Strindberg	Monsieur X
Les Héritiers	Maurice Gagnon	Jérôme Pelland
Dernier atout	Myron Galloway	Avery
Le Renvoi	Marc Beaulé	Le professeur
Rond-Point	—	L'Américain
Pygmalion	George Bernard Shaw	Henry Higgins
L'Oncle Vania	Anton Tchekhov	Yvan Astrov

1959

Le Toubib	Gaston Le Hir	Le médecin
Procès pour meurtre	Eugène Cloutier	Me Théberge
Derrière la grille	Paul Alain	—
Banquet au chevreuil bleu	Sandor Török	Olaf Halezius
Les Ténèbres sur la terre	Arthur Koestler et Stanley Kingsley	Le 402
L'Enjeu	Maurice Gagnon	Peter Larsen

1960

Échec au roi	Jules Gobeil	Éric Montrose
Trois Valses	Léopold Marchand et Albert Willemetz	L'amoureux
On ne meurt qu'une fois	Hubert Aquin et Gilles Sainte-Marie	Georges Dupras
Les Frères Karamazov	Fedor Dostoïevski/ Jacques Copeau et Jean Croué	Dmitri

1961

| *Une nuit* | Charlotte Savary | Pierre Lantier |

1962

| *La Danse de mort* | August Strindberg | L'ami Kurt |

Titre	Auteur	Rôle
1962 (suite)		
Les Larmes de Dieu	Tony Williamson	L'ingénieur en chef
Comme tu me veux	Luigi Pirandello	Bruno
1963		
La Cuisine des anges	Albert Husson	Jules
Dernière heure	Ben Hecht et Charles Paul MacArthur	Le maire
Les Mains vides	Claude Jasmin	Me Julien
Marius	Marcel Pagnol	Le Quartier-maître
1964		
L'Ombre	Julien Green	John
Le Dossier de Chelsea Street	Walter Weideli	Le policier brutal
Cas de conscience	Pierre Dagenais	Me Paul Bérard
Miss Mabel	Robert Cedric Sheriff	Dr Harrison
Père	August Strindberg	Dr Oestermark
1965		
Tuez le veau gras	Claude Jasmin	Le maire
Marie-octobre	Jacques Robert, Henri Jeanson et Julien Duvivier	Simoneau
1966		
Le Canard sauvage	Henrik Ibsen	Hialmar
1968		
La Neige en octobre	André Langevin	Henri
1969		
Florence	Marcel Dubé	Eddy
1970		
J'y suis, j'y reste	Jean Valmy et Raymond Viney	Jules
Une maison… un jour	Françoise Loranger	Vincent
1971		
Carlos et Marguerite	Jean Bernard-Luc	Carlos
L'Heure éblouissante	Anna Bonacci	George Sedley

Titre	Auteur	Rôle
1971 (suite)		
Entre midi et soir	Marcel Dubé	Germain
Les Deux valses	André Laurendeau	—
1972		
La Perdrière	Andrée Maillet	Philippe
1973		
Monsieur Masure	Claude Magnier	Robert Giraux
Un aveu dans la nuit	Jean Laborde	—
1974		
Napoléon unique	Paul Raynal	Napoléon
Folie douce	Maurice Lasaygues et Jean-Jacques Bricaire	Le mari
Le Mari, la femme et la mort	André Roussin	Sébastien
1975		
Québec, printemps 1918	Paul Hébert, Gilles Lachance et Jean Provencher	Dr Albert Marois
Un arbre chargé d'oiseaux	Louise Maheux-Forcier	Fabien
1976		
Le Manuscrit	Louise Maheux-Forcier	Philippe
1977		
L'Enfant doux	Paul Dupuis	Le père
1979		
La Cruche cassée	Heinrich von Kleist	Le juge
1982		
Aléola	Gaétan Charlebois	Barné
1984		
Évangéline Deusse	Antonine Maillet	Le Breton
Un parc en automne	Louise Maheux-Forcier	Jean
1986		
Jeanne et ses juges	Claude Velmorel	Cauchon

Titre	Auteur	Rôle
1986 (suite)		
Lorenzaccio	Alfred de Musset	Philippe Strozzi
Les Aiguilleurs	Brian Phelan	Albert
1988		
Ouragan sur le Caine	—	Président du tribunal
1993		
Bonjour, là, bonjour	Michel Tremblay	Armand

Annexe VI
Principaux films

Titre	Réalisateur	Rôle
1949		
Un homme et son péché	Paul Gury	Alexis Labranche
1950		
Séraphin	Paul Gury	Alexis Labranche
Un sourire dans la tempête	René Chanas	Le trappeur
1955		
Trapèze	Carol Reed	Un journaliste
1956		
Si Paris nous était conté	Sacha Guitry	L'apprenti forgeron
1960		
Louis-Joseph Papineau le demi-dieu	Louis-Georges Carrier	Papineau
1964		
Le Misanthrope	Louis-Georges Carrier	Alceste
1974		
Les Aventures d'une jeune veuve	Roger Fournier	Le mari
Les Ordres	Michel Brault	Jean-Marie Beauchemin
1981		
Gapi	Paul Blouin	Sullivan
1985		
Hold-up	A. Arcady	Le maire de Montréal
1987		
Le frère André	Jean-Claude Labrecque	Le père d'un élève
1988		
Perversion	Yves Dion	Un médecin

Titre	Réalisateur	Rôle
1989		
Les Trois Montréal de Michel Tremblay	Michel Moreau	Armand
1997		
La Conciergerie	Michel Poulette	Le juge

Annexe VII
Séries et téléromans

Date	Titre	Auteur	Rôle	Chaîne
1954-1959	*La Famille Plouffe*	Roger Lemelin	Le père Alexandre	SRC
1959-1961	*En haut de la pente douce*	Roger Lemelin	Le père Alexandre	SRC
1959-1961	*Jeunes Visages*	Alec Pelletier	Me Dupras	SRC
1961-1962	*Kanawio*	Guy Dufresne	Raweras	SRC
1962-1963	*La Balsamine*	Jean Filiatrault	Charles Mathieu	SRC
1962-1963	*Le Petit Monde du père Gédéon*	Roger Lemelin	Le père Alexandre	SRC
1964-1965	*Monsieur Lecoq*	Émile Gaboriau	Le Duc de Sairmeuse (M. Avril)	SRC
1965-1970	*Les Belles Histoires des pays d'en haut*	Claude-Henri Grignon	Alexis	SRC
1968-1969	*Le Paradis terrestre*	Réginald Boisvert	Dr Jutras	SRC
1970-1975	*Mont-Joye*	Réginald Boisvert	Théo Joyal	SRC
1970-1977	*Symphorien*	Marcel Gamache	Maurice Gagnon	TM
1977	*Nous jouerons en automne*	Gaby Déziel-Huppé	—	RQ

1977	*Duplessis*	Denys Arcand	Ernest Lapointe	SRC
1978	*La Peur du voyage*	Monica Mourti	Robert	SRC
1978-1979	*Drôle de monde*	Marcel Gamache	Robert Riopelle	TM
1978-1984	*Terre humaine*	Mia Riddez	Antoine Jacquemin	SRC
1985	*Laurier*	Louis-Georges Carrier André Dubois	Édouard Pacaud	SRC
1987-1989	*Robert et Compagnie*	Michel Dumont Marc Grégoire	Le père de Robert	SRC
1989-1990	*Tandem*	Normand Canac-Marquis Paule Marier et Louise Roy	Hector Saulnier	RQ
1992-1997	*Sous un ciel variable*	Michel D'Astous Anne Boyer	Léon Tanguay	SRC

RQ : Radio-Québec, aujourd'hui Télé-Québec
SRC : Société Radio-Canada
TM : Télé-Métropole

Annexe VIII
Théâtre

Date	Titre	Auteur	Rôle	Troupe
1949	Un fils à tuer	Éloi de Grandmont	Le père	Gesù
1956	Némo	Alexandre Rivemale	Pacifique	TNM
	Athalie	Jean Racine	Joad	Festivals de Montréal
1957	Le Malade imaginaire	Molière	Béralde	TNM
	Le Chapeau de paille d'Italie	Eugène Labiche	Tavernier	TNM
	Le Printemps de la Saint-Martin	Noël Coward	Miguel	Centre d'art de Percé
	La Fleur à la bouche	Luigi Pirandello	Un homme	Centre d'art de Percé
	Un caprice	Alfred de Musset	Chavigny	Centre d'art de Percé
	L'Homme au parapluie	Dinner et Morum	Grégory	Centre d'art de Percé
1959	Venise sauvée	Morvan Lebesque	Renaldo	TNM
1960	Florence	Marcel Dubé	Eddy	Comédie canadienne
1961	Cinna	Pierre Corneille	Auguste	Théâtre-Club
	L'Heure éblouissante	Anna Bonacci	Sedley	Théâtre-Club

Année	Titre	Auteur	Rôle	Lieu
1962	*La Cuisine des anges*	Albert Husson	Jules	Théâtre des Prairies (été)
	Guillaume le confident	Marc-Gilbert Sauvageau	Georges	Vaudreuil
1963	*Le Cocotier*	Guitton	Grand-père	Estérel (été)
1964	*Le Complexe de Philémon*	Jean Bernard-Luc	François	Estérel (été)
	L'Homme au parapluie	Dinner et Morum	Grégory	Estérel (été)
1965	*Le Procès de Mary Dugan*	—	—	École d'art dramatique (Hull)
	La Locandiera	Carlo Goldoni	Le chevalier	NCT
1966	*Du vent dans les branches de sassafras*	René de Obaldia	Rockfeller	Rideau Vert
1969	*Hedda Gabler*	Henrik Ibsen	Brak	Rideau Vert (Rome)
1973	*Quadrille*	Sacha Guitry	Philippe	Des Marguerites (été)
1974	*Mésalliance*	George Bernard Shaw	John Tarleton	TNM
	Quand épousez-vous ma femme ?	Jean Bernard-Luc et Jean-Pierre Conty	Bertrand	Des Marguerites (été)
	La main passe	Georges Feydeau	Coustouillu	TNM
1975	*C'est malin*	Fulbert Janin	Le parrain	Des Marguerites (été)
	L'Hôtel du libre-échange	Georges Feydeau	Pinglet	Rideau Vert

Date	Titre	Auteur	Rôle	Troupe
1976	*Dreyfus*	Jean-Claude Grumberg	Motel	Rideau Vert
	Évangéline Deusse	Antonine Maillet	Le Breton	Rideau Vert
	Gapi	Antonine Maillet	Sullivan	Rideau Vert
1977	*Je ne veux pas mourir idiot*	Confortès, Deschamps Girerd et Wolinski	Le Gros	TNM
	Maria Chapdelaine	Paul Gury	Le père	Rideau Vert
1978	*La Cruche cassée*	Heinrich von Kleist	Le juge	TNM
	Gapi	Antonine Maillet	Sullivan	Rideau Vert (Avignon)
	Évangéline Deusse	Antonine Maillet	Le Breton	Rideau Vert (Avignon)
	P'pa	Hugh Leonard	Le père	Cie Jean-Duceppe
1979	*Les Aiguilleurs*	Brian Phelan	Albert	TNM
1980	*Aléola*	Gaétan Charlebois	Barné	Rideau Vert
	Poutoulik	Henri Deyglun	Lucien	Des Marguerites (été)
	Quelle vie ?...	Brian Clark	Dr Émery	TNM
1981	*Madame Filomena*	Eduardo de Filippo	Domenico	Rideau Vert
	La Contrebandière	Antonine Maillet	Basile	Rideau Vert
	L'Homme éléphant	Bernard Pomerance	Ross/How	TNM

Année	Pièce	Auteur	Personnage	Théâtre
1982	*Et ta sœur...*	Jean-Jacques Bricaire et Maurice Lasaygues	Maxime	Marieville (été)
	Un parc en automne	Louise Maheux-Forcier	Jean	Café de la Place
1983	*Cher Menteur*	Jérôme Kilty	Shaw	Café de la Place
	Mary, Mary	Jean Kerr	Bob	Belœil (été)
	Caviar et lentilles	Scamicci et Tarabusi	Leonida	Cⁱᵉ Jean-Duceppe
1984	*Feux Follets*	Susan Cooper et Hume Cronyn	Hector Johnson	Rideau Vert
1985	*Désirs sous les ormes*	Eugene O'Neill	Éphraïm Cabot	Cⁱᵉ Jean-Duceppe
	Et le paradis....	Jean Daigle	Albert	Des Marguerites (été)
	Syncope	René Gingras	Bacon	CNA
1986	*Charbonneau et le chef*	John Thomas McDonough	Abbé Camirand	Cⁱᵉ Jean-Duceppe
1987	*Harvey*	Mary Chase	O. Gaffney	Cⁱᵉ Jean-Duceppe
	Des souris et des hommes	John Steinbeck	Le boss	Cⁱᵉ Jean-Duceppe
	Haute fidélité	Art Cooney	—	Théâtre Molson (été)
	Douze hommes en colère	Reginald Rose	Juré #3	Cⁱᵉ Jean-Duceppe
	Bonjour, là, bonjour	Michel Tremblay	Armand	TNM

Date	Titre	Auteur	Rôle	Troupe
1989	*Les Sorcières de Salem* *Le Long Voyage vers la nuit*	Arthur Miller Eugene O'Neill	Danforth Jim Tyrone	Cᶦᵉ Jean-Duceppe et CNA Cᶦᵉ Jean-Duceppe
1990	*Pygmalion* *Bonne fête maman* *L'Ennemi du peuple*	George Bernard Shaw Élizabeth Bourget Henrik Ibsen	Doolittle Maurice Stockmann	Cᶦᵉ Jean-Duceppe Bateau Escale (été) Cᶦᵉ Jean-Duceppe
1991	*Ils étaient tous mes fils* *L'Opéra de quat'sous*	Arthur Miller Bertolt Brecht et Kurt Weill	Jos Keller Peachum	Cᶦᵉ Jean-Duceppe TNM
1992	*L'Examen de passage* *Sainte Jeanne*	Israël Horowitw George Bernard Shaw	Brachish Cauchon	Cᶦᵉ Jean-Duceppe Cᶦᵉ Jean-Duceppe
1993	*Vu du pont* *Ivanov*	Arthur Miller Anton Tchekhov	Alfieri Chabelski	Cᶦᵉ Jean-Duceppe Cᶦᵉ Jean-Duceppe
1994	*Après la chute*	Arthur Miller	Le père	Cᶦᵉ Jean-Duceppe
1995	*Jeanne au bûcher*	Paul Claudel et Arthur Honegger	Frère Dominique	OSM (Montréal)
1996	*Évangéline Deusse* *Jeanne au bûcher* (reprise)	Antonine Maillet Claudel/Honegger	Le Breton Frère Dominique	Cᶦᵉ Jean-Duceppe OSM (Tokyo)

1997	*L'Auberge du cheval blanc*	—	Le guide	Théâtre de l'île (Hull)
	Le Nombril du monde	Yves Desgagnés	Provencher	Cⁱᵉ Jean-Duceppe
1998	*Les Sorcières de Salem*	Arthur Miller	Corey	TNM
	Nuit de chasse	Micheline Parent	Francis	Théâtre d'aujourd'hui

CNA : Centre National des Arts (Ottawa)
NCT : Nouvelle compagnie théâtrale
OSM : Orchestre symphonique de Montréal
TNM : Théâtre du Nouveau Monde

Table des illustrations

14. *Le Médecin malgré lui.* Les Compagnons de saint Laurent, 1947
(Photographe : A. A. GLEASON)

15. Les Compagnons de saint Laurent en tournée
à Sainte-Anne-de-la-Pocatière, 1947

16. *La Goutte de miel.* Les Compagnons de saint Laurent, 1948

17. *Antigone.* Les Compagnons de saint Laurent, 1948
(Photographe : R. CARRIÈRE)

18. *Antigone.* Les Compagnons de saint Laurent, 1948
(Photographe : Paul TAILLEFER)

19. Remise de la bourse de Duplessis, Hull, 1948
(Photographe : Florian THIBAULT)

20. *Un homme et son péché.* Film de Paul Gury, 1949
(Photographe : R. GARIÉPY)

21. *Polyeucte.* La Comédie de Saint-Étienne, 1950

22. *Cinna.* Théâtre national populaire, 1954
(Photographe : Agnès VARDA)

23. Jean Gascon, Denise Provost, Jean-Louis Roux et Guy Provost,
vers 1958

24. Guy et Denise Provost, vers 1960

25. Guy Provost et Gérard Philipe, 1959
(Photographe : Edward REMY)

26. *Un homme et son péché.* Film de Paul Gury, 1949
(Photographe : R. GARIÉPY)

27. *Les Belles Histoires des pays d'en haut.* Téléroman, Radio-Canada
(Photographe : André LE COZ)

28. *Évangéline Deusse.* Théâtre du Rideau Vert, 1976
(Photographe : André LE COZ)

29. *Les Aiguilleurs.* Théâtre du Nouveau Monde, 1979
(Photographe : André LE COZ)

30. *Un parc en automne.* Café de la Place, 1982
(Photographe : André LE COZ)

31. *Bonjour, là, bonjour.* Théâtre du Nouveau Monde, 1987
(Photographe : Robert ETCHEVERRY)

32. *Robert et Compagnie.* Téléroman, Radio-Canada
(Photographe : André LE COZ)

33. *Douze hommes en colère.* Compagnie Jean-Duceppe, 1988
(Photographe : Andrée PROVOST)

34. *Le Long Voyage vers la nuit.* Compagnie Jean-Duceppe, 1989
(Photographe : François RENAUD)

35. Cinquantième anniversaire de la vie artistique de Guy Provost,
Hull, 1996 (Photographe : François-Xavier SIMARD)

Table des matières

Annexes

PAO : réalisation des Éditions Vents d'Ouest inc. (Hull)
Impression : Imprimerie Gauvin ltée (Hull)

Achevé d'imprimer en septembre
mil neuf cent quatre-vingt-dix-neuf

Imprimé au Québec (Canada)